ギャラリストーカー

美術業界を蝕む女性差別と性被害

猪谷千香

中央公論新社

まえがき

ギャラリーストーカー。

画廊で作家につきまとう人たちのことだ。彼らの多くが中高年男性であり、ターゲットにされるのは美術大学を卒業したばかりの若い女性作家である。

ギャラリーストーカーは画廊に居座り、キャバクラに来たかのようにふるまい、女性作家たちに長時間の接客を求める。あるいは、作品を購入したのだからといって、男女関係を求めてくる。ＳＮＳでも作家の投稿にしつこく返事をしたり、長文のＤＭ（ダイレクトメッセージ）やメールを一方的に送りつけたりしてくる。

しかし、彼らは客であり、コレクターであることから、売り出そうとしている駆け出しの若い女性作家は強く拒絶できない。作品を売りたい画廊も、女性作家を守ってくれず、女性作家を男性客に差し出すことすらある。それでも作家は、一人で画廊という狭い空間に立ち続けなくてはならない。次の創作につながる大事な機会だからだ。だから彼女たちは逃げることもできず、誰にも相談もできず、どう対処してよいのかわからないまま、ストーキングがエスカレートして身に危険が迫る。なかには、心を病み、筆を折る寸前まで追い詰められるケースもある。

本書では、彼らがどのように作家を追い詰めていくのか、被害に遭った女性作家たちを取材し、その手口を明らかにした。

ある20代の女性作家は、コレクターの40代男性に2年以上、ストーキングされた。女性作家に一方的に好意を寄せた男性は、彼女の下の名前を呼び捨てし始め、彼女が付き合いのある画廊や美術関係者に「俺が彼女を支えている」と「彼氏ヅラ」するようになった。

彼女は必死に男性から距離を取り、いちコレクターとして男性に対応していたが、男性の行動はどんどん常軌を逸していった。アポもないのに突然、彼女のアトリエを訪れたり、執拗《しつよう》に彼女の実家の住所まで知りたがった。まるで、「結婚を約束した彼氏」のような態度である。

彼女は身の危険を感じ、いつ男性が目の前に現れるか、毎日怯《おび》えた。しばらくは誰にも相談できずに徐々に蝕《むしば》まれ、作品をつくることもままならなくなってしまった。

こうした被害は枚挙にいとまがない。美術業界では、ギャラリーストーカーの問題は古くから知られてきた。ところが、女性作家にとっては、作家生命を左右する深刻な被害であるにもかかわらず、「ギャラリーストーカーなんて無視すればいいじゃないか」と言われ、軽視されてきた。

なぜギャラリーストーカーが生まれてしまうのか。なぜこれまで深刻な問題として取り扱われてこなかったのか……。

取材を進めると、ギャラリーストーカーの問題は、氷山の一角に過ぎないことが明らかになる。ギャラリーストーカーが放置され続けた背景には、美術業界そのものにハラスメントの温床になる特殊な伝統と構造、体質があることが浮かび上がってきたのだ。

美術の世界はきらびやかだ。日本は世界有数の美術鑑賞国であり、新型コロナウイルスのパンデミック以前の日本は、毎年、複数の展覧会の入場者数が、世界ランキングトップ20入りを果たしてきた。多くの人たちが美術館に押し寄せ、作家の作品を楽しんでいる。美術館以外でも、近年はあらゆる地域でビエンナーレやトリエンナーレが華々しく開かれ、アートツーリズムとあいまって人気となっている。一流ブランドの旗艦店がギャラリーを備えて最先端の展示を行うこともある。美術業界は、常に人々の注目を集め、羨望の的であり続けている。

ところが、その華々しい舞台の裏では、性暴力やハラスメントが横行している。

ある地方の大学院で絵を学んでいた女性は、教鞭をとっていた国際的なキュレーターの男性に声をかけられた。いわく、自分なら著名な美術評論家やメディアを呼べるから、東京で企画展を開かないか――。

大学院を出たあとの進路を悩んでいた女性は、喜んだ。美術業界であれば誰もが知るキュレーターの男性が語る、キラキラした美術業界に惹かれていた。しかし、男性は打ち合わせと称して、女性をホテルに呼び出し、ベッドに押し倒した。女性は拒絶するか悩んだが、頭に浮かんだのはキュレーターの男性が進めてくれていた企画展のことだった。ここで拒絶したら、きっと全てダメになってしまうと思い、女性はキュレーターの男性を受け入れざるを得なかった。美術業界で権力を持つ加害者は、弱い立場にある若い女性作家に「作家としての成功」をちらつかせ、性暴力に及ぶケースも決して少なくない。

そうした性暴力やハラスメントの背景に、美術業界の特殊な構造がある。大学の教員や著名な美術家、批評家、キュレーター、審査員は圧倒的に男性が多く、一方の若い美大生は女性が多数を占めることも影響しているだろう。

選ぶ側に男性が多く、選ばれる側に女性が多い。著しくジェンダーバランスに欠け、権力勾配が大きい構造の中で、性暴力やハラスメントが繰り返されているのだ。

美大受験のための予備校や美大時代から続く、滅私奉公が求められる徒弟制度の伝統も無関係ではない。徒弟の関係性が、卒業後に作家として独立した後も継続する。

狭い業界の中で、彼女たちはもしも被害を訴えれば、権力を持つ加害者によって自分の作家生命や将来を潰されてしまうのではないかと恐れ、泣き寝入りしてしまうのだ。

労働環境も、十分に法的に整備されているとは言えない。多くの作家がフリーランスであり、一般企業にあるようなハラスメントを受けた時の相談窓口などの制度やサポートの欠如が、加害を助長している。

まさに美術業界のブラックボックスの中で行われてきた性暴力やハラスメント。本書では、被害に遭ってしまった女性作家たちに取材し、その切実な声に耳を傾けた。

なぜ、美術業界において、性暴力やハラスメントが横行してきたのか。どうしたら負の連鎖を止めることができるのか。

美術業界の抱える暗闇に迫る。


【注意】本書には性暴力やハラスメントについて描写している部分が多く含まれます。フラッシュバックなどご不安な方は、読まれる際、十分にご注意ください。

ギャラリーストーカー
美術業界を蝕む女性差別と性被害

目次

ギャラリーストーカー

美術業界を蝕む女性差別と性被害

第1章

作家に付きまとう人々

「画廊で会った時、運命だと思った」

「今、真奈美の大学の前にいるんだけど」

美術大学の大学院生、山口真奈美さん（仮名）は、携帯から流れる声に背筋が凍った。美術コレクターの男性、A氏（40代）だった。

その日、山口さんはいつものように大学のアトリエで制作に取り組んでいた。集中していると、A氏から電話がかかってきた。

「真奈美に会いにきたよ」

A氏は恋人でも、親しい友人でも、家族でもない。「真奈美」呼ばわりをされるほど、親しい関係ではない。しかし、A氏は一方的に「真奈美」と呼ぶ。山口さんがどう思うか、気にしている様子もなかった。

山口さんは全身の血の気が引いた。A氏と約束していたわけではない。事前の連絡もなく、突然現れたのだ。

（なんで？　どうしてAさんがここにいるの？）

A氏の自宅は、山口さんの大学院から車で半日は走らないと着かないような遠い場所にある。

自分の安全なテリトリーである大学にまで、A氏が踏み込んできたことに山口さんはパニックになり、怯えた。

A氏とは、山口さんがあるグループ展に参加していた時に出会った。若手の作家を応援しているコレクターだった。山口さんの参加する展覧会に、遠方からでも足繁く通ってきてくれた。その姿は、いかにも「美術が好きな温和そうなおじさん」に見えた。20代の山口さんからすれば、父親と同世代といっても良い年齢で、恋愛対象として考えたことは一度もない。あくまで、他のコレクターと同じように作品を購入してくれるお客さんだった。

しかし、いつの間にか、A氏は山口さんを「真奈美」と下の名前で呼ぶようになっていた。

「真奈美は俺が支えないと」「真奈美が心配で」

山口さんが仕事でお世話になっているギャラリーの関係者の前で、A氏は自分がいかに山口さんから頼られているか、吹聴してまわった。もちろん、山口さんがA氏に頼ったことはないが、A氏はそう思い込んでいるらしかった。

「初めて画廊で会ったとき、俺は真奈美と出会う運命だったんだと思った」「真奈美を愛してる」

A氏は山口さんを2人きりのドライブや食事に誘うようになり、愛の言葉を囁《ささや》き始めた。

「似合いそうだから買ったんだけど、よかったら使って」

そう言って、バッグをプレゼントされたこともあった。それは、山口さんの好みから外れていた。若い女性がみたら「ダサい」と見向きもされないようなものだった。

山口さんの微妙な表情に、A氏は一切、気づいていないようだった。

勝手に「彼氏ヅラ」してくるA氏。山口さんは、必死にコレクターの一人として接することを心がけ、一線を引こうとした。誘いも断り続けたが、ギャラリーで展覧会を開けば、必ずA氏は会いに来た。そして、ギャラリー関係者や他の作家の前で、あの「彼氏ヅラ」を繰り返す。

「なんか、Aさんの距離感っておかしくない？」

ギャラリー関係者や作家仲間も噂するようになっていた頃、山口さんは限界を迎えていた。

山口さんの対応が素っ気なくなっても、A氏は意に介さずに「彼氏ヅラ」を続けた。

そうしてある日、突然、A氏は山口さんの大学院に押しかけてきたのだ。

「この後、食事に行こうか？」

A氏ははにかんで誘ってきたが、山口さんは身の危険を感じた。相手は、自分の気持ちなど気にせず、勝手にふるまうような男性である。車に乗ってしまい、2人きりになったら何をされるかわからない。

山口さんは「制作が忙しいので」と断った。しかし、「顔だけでも見たい」と食い下がる。

仕方なく、山口さんは作業着のまま、A氏が駐車している場所に向かった。あえて絵の具がついたままの作業着で行ったのは、作業で忙しく、脱ぐ時間もないことを暗に伝えるためだった。

「真奈美がちゃんと食べているか心配だから。栄養とってね」

A氏は、さも優しく、作家の彼女を支える恋人のようにふるまい、食料品の入った袋を手渡してきた。中には、ヨーグルトや果物などが入っていた。

そのまま、A氏を送り出した山口さんは、すぐに袋を捨てた。どんな異物が混入しているか、わからなかったからだ。

「カーナビに実家の住所を登録したい」

「実家の住所を教えて」

「え？」

また別の日、ギャラリーに押しかけてきたA氏は、とんでもないことを言い出し、山口さんは思わず聞き返していた。

「真奈美は体が弱いから、万が一、倒れた時が心配。いざとなったら、自分がご実家に助けを呼ばないといけないから教えて欲しい。ちゃんとカーナビに登録しておくから」

断っても断っても、何度も執拗に実家の住所を知りたがり、しまいには「なんで教えてくれないんだ」と不機嫌になった。

支離滅裂だ。いちコレクターが作家の実家の住所を知る必要性が、どこにあるのだろう。山口さんはあまりの気持ち悪さに体が震えた。

「真奈美の一番のコレクター」を自負していたA氏は、そのうち山口さんの作品をすべて買い取らせてほしいと言ってきた。

大学に押しかけたり、実家の住所を執拗に聞いてくるなどの「事件」もあり、山口さんは嫌な予感がして、「考えてからあとでお返事します」とだけ答えた。

しかし、A氏は「これくらいあれば足りるだろう」といって、数十万円もの大金を勝手に山口さんの口座に入金してきた。山口さんは口座番号を自ら教えたわけではなかったが、以前参加したアートイベントを通じて、A氏に知られてしまっていたのだ。

山口さんは驚いて返金しようとした。

「作品は何年でも待つから、制作費だと思って使ってほしい」

A氏は絶対に譲らず、山口さんは押し切られてしまった。

距離を取っても取っても、迫ってくるA氏。自分の大事な作品まで、A氏に奪われるのかと恐ろしかった。

追い詰められていた山口さんを救ったのは、あるギャラリーのオーナーだった。

山口さんがそのギャラリーで個展を開いた際、直接知らせていなかったにもかかわらず、A氏は姿を現した。山口さんのSNSで発信していた個展の案内を見つけてきたのだ。

幸い山口さんは不在だったが、A氏は初対面のオーナーに、「真奈美は危なっかしいところがあって、自分が支えてるんです」と話し、山口さんととても親しい間柄であることを誇示してみせた。

恋人や親しい友人にしては、年齢が離れ過ぎている。オーナーは最初、年齢差のあるA氏のことを、その話ぶりから、山口さんの父親か、親戚の男性かと思った。

しかし、妙な違和感もある。そこで、オーナーは「もしかして一方的につきまとっている人では」と心配になり、山口さんに尋ねてきた。

山口さんは堰《せき》を切ったように、A氏から被害に遭っていることをオーナーに話し始めた。オーナーの顔色が変わった。

当時、A氏は山口さんの自宅住所も入手していた。大学まで来たように、いつ、また自宅に押しかけてくるかわからない。オーナーは山口さんに身の危険が迫っていると判断した。

「できるだけAさんとは離れたほうがいいと思う」

オーナーはそう言って、独りで悩み続けていた山口さんの相談に乗り、親身になってくれた。

オーナーの助言に従い、山口さんはもう作品は譲れないことや、入金されていたお金を返すことをA氏にメールできっぱりと伝えた。できる限り、業務連絡のように用件のみに徹した。

A氏はさすがに山口さんの態度から何かを悟ったのか、了承してお金も受け取り、以後、A氏によるつきまとい行為はなくなった。

いくら伝えてもつきまといを止《や》めなかったA氏から逃げ切るまでに、山口さんには2年以上の月日が必要だった。

華やかな美術業界の舞台裏で

見上げるような高い壁に、華々しく展覧会のバナーを掲げる美術館。連日がお祭り騒ぎのビエンナーレやトリエンナーレ。一流美術家たちの最新作を展示する都心の瀟洒《しょうしゃ》なギャラリーや高級ブランドの旗艦店。国内外のギャラリーが一堂に会し、活況を見せるアートフェア。人気アーティストたちが集まって展開する注目のアートプロジェクト。

遠くから見る美術業界は、綺羅《きら》星のごとく輝いていて、とても眩《まぶ》しく見える。私もそのキラキラした世界に魅了されていた一人だ。国内の有名作家の美術展を見るだけでは飽き足らず、時間があれば画廊にも足を運んできた。注目の美術館がオープンしたと聞けばいち早く訪ねたし、地方でトリエンナーレなど国際美術展が開かれたら休みを利用してまわった。日常の煩《わずら》わしさから解放してくれる、憧れの世界がそこには広がっていたからだ。

しかし、ひとたび舞台の裏側をのぞけば、華やかだけでは済まされない暗闇が広がっていた。一般的な常識や倫理、モラルでは到底理解できないような行為が、日常的に行われているのだ。

その一つが、ギャラリーストーカーである。

山口さんに2年以上、つきまとっていたA氏も、ギャラリーストーカーといえる。

多くの作家は、画廊で展覧会を開き、作品を売る。美術大学を卒業したばかりの若手作家でも、作品が海外の美術館の永久コレクションに入るような著名な作家であっても、それは変わりない。作家にとって画廊で展覧会を開くということは、作品発表と販売の場を持つことであり、コレクターやファンとつながる大切な機会になっている。

作家は画廊に滞在し、自ら接客したり、作品の解説を行ったりする。これは「在廊」と呼ばれ、作家にとっては創作活動に加えて行う重要な活動だ。

ギャラリーストーカーと呼ばれる人たちは、そうした在廊中の作家たちをつけ狙って画廊に出没する。どうしたら作家が在廊しているとわかるのか。簡単だ。SNSで「在廊」と検索をかければ、「今日は在廊しています」と発信している作家がたくさん見つかる。狙おうと思えば、簡単に狙えてしまう。

画廊を訪れたギャラリーストーカーは、作家を見つけて話しかける。必要以上に居座り、美術批評のつもりで作家に説教まがいのことをまくしたててマウンティングしたり、セクハラなどの迷惑行為をしたりする。

食事やドライブに誘ったり、アトリエを見せてほしいと言ってきたり、中にはエスカレートして、作品の購入をちらつかせて、男女関係や結婚を求めてきたりもする。

最近の作家は、インスタグラムやツイッターを利用して作品や展覧会の情報発信をするが、オンラインでも彼らは現れる。何度もコメントしたり、長文のDMを送りつけたりするのだ。

実際、あるSNSで20代女性画家が個展について投稿したら、中高年男性と思われる人が、「画廊に会いに行きます。作品を全部買いたいです」と何度も独占欲にあふれたリプライを飛ばしていた。その女性画家は最初、丁寧に返事をしていたが、あまりに度重なるのでしまいにはテキストも打たず、ニコニコ顔のスタンプだけで対応するようになった。それでも彼は、彼女が投稿する度に熱心にリプライを送り続けた。

また別のSNSでは、若手の女性作家が憤っていた。展示会場などで3回しか会ったことのない男性からいきなりプロポーズされたのだという。彼女は第三者を通じて接触禁止を申し入れたが、それでもつきまといは止まなかったそうだ。

第三者からみれば、「熱心なファンや客なのだから、大目に見てあげればいいのに」「人気がある証拠だから仕方ない」と思うかもしれないが、パートナーや恋人でもない赤の他人から、仕事場やSNS上でしつこくつきまといを受ければ、誰にとってもかなりの負担になるだろう。

しかし、相手は自分の作品を買った、あるいはこれから購入してくれるかもしれない客である。プロとして売り出していこうという若手作家は、彼らをむげにもできず、仕方なく相手をする。そうすると、ますます図にのってつきまといはエスカレートするのだ。

ギャラリーストーカーの被害に対して、「在廊しなければいい」「SNSを止めればいい」という意見もあるだろう。そんなに困っているなら逃げればいいじゃないか、と。私自身、被害にあった作家たちに取材を始めるまで、そんなふうに考えていた。

ところが、実際には逃げたくても逃げられないし、誰も助けてくれない。「逃げればいい」では簡単に解決できない、美術業界特有の事情が背景にはある。その中で、作家たちは精神的に追い込まれ、ギャラリーストーカーによって生命の危険すら感じるようになる。酷いケースになると、筆を折る寸前まで追い詰められる。

ギャラリーストーカーはどうやって作家たちを追い詰めるのか。被害に遭ったことのある女性作家たちへの取材から、少しずつ明らかになっていった。

「作品を買ってあげたんだから食事くらい」

ギャラリーストーカーの取材を進める中、最初に出会ったのが、冒頭の20代の作家、山口さんだった。

取材の場所に現れた山口さんは、小柄な黒髪の女性で、「真面目で大人しそうなタイプ」というのが第一印象だった。SNSでも丁寧な言葉で発信していて、誰かと議論したり、ぶつかったりするような性格には見えない。

「自分ではもうどうしようもない状態になるまで、追い詰められました」

静かな語り口とは裏腹に、山口さんは壮絶な体験を語り始めた。それは、数年にわたってA氏をはじめ、何人ものギャラリーストーカーにつきまとわれ、身の危険を感じるまで追い詰められたというものだった。

山口さんは美大の大学院在学中からコンクールで受賞するなど、注目を集めてきた。大学院を出てすぐに頭角をあらわし、グループ展や企画展にも声がかかるようになった。

「学外で作家として作品を発表し始めると、画廊やお客さん、他の作家さんたちと交流することが一気に増えました。自分でもSNSで展覧会の情報を発信していましたので、コレクターの方たちにも認知されやすくなっていたと思います」

美術業界の人脈も広がり始め、作品も売れるようになっていった。作家として、順調なスタートを切った。そう思っていた。

しかし、交友関係が広がると同時に、男性客や男性コレクターによる誘いも増えていった。

「全員、40代以上の男性でした。作品を買ってあげたんだから、食事くらい付き合ってくれてもいいじゃない、という距離感のお客さんばかりでした」

例えば、山口さんがSNSに「最近、体調が悪いです」といった投稿をすると、「元気なさそうだから、食事に行きましょう」「栄養不足なんじゃないか。心配だから食事に連れていってあげる」などと、すかさず反応して声をかけてくる。

しかも、画廊などではなく、必ずSNSのメッセージや電話など、誰かの目に届かないような手段で誘ってくるのだ。プライベートでコレクターと食事をすることは、作家としての仕事ではない。山口さんもそれはわかっていたが、一対一での誘いは、断りづらかった。

「駆け出しでしたので、もしも食事を断って、もう作品を買ってもらえなくなったらどうしようという不安もありました。とても気持ち悪かったし、苦しかったけど、接待だから仕方ないと思って行くことがありました」

山口さんが、ギャラリーオーナーに助けてもらい、冒頭のA氏から逃げようとしていた頃、出会ったのが別の40代男性、B氏だった。

B氏もコレクターで、ギャラリーで山口さんの作品を買ってくれたことから、接触が始まった。A氏と異なり、B氏は直接食事やドライブに誘ってくることはなかった。しかし、思わぬ形で、つきまといが始まっていく。

ある時期に1カ月ほど展覧会を開いている間、山口さんは毎日作品の展示の様子の写真や、作品へ込めた思いなどをSNSに投稿していた。それに対して、B氏がいちいち、メッセージを送ってくるようになった。

「がんばってね」「応援してます」「体調は大丈夫？」

お菓子の写真とともに「今度、山口さんが好きそうなお菓子を持っていきます」と言ってくることもあった。

最初は山口さんも嬉しく感じていた。しかし、一つ一つのメッセージは短いが止むことなく届く。あまりに連日届くため、徐々に怖くなっていった。

返事をするのを止めようとも思ったが、B氏は山口さんが在廊する時には、どんなスケジュールでも調整して現れた。相手はコレクターであり、必ずギャラリーで顔を合わせることがわかっているために、メッセージを一方的に無視するのも気まずい。

仕方なく、短い社交辞令のメッセージを返していたが、B氏からのメッセージはどんどん長文化していった。

「自分は一番の理解者であり、ずっと見守ってあげたい」

「心配しているので、今からそちらに行きましょうか？」

山口さんは離れたいのに、B氏はどんどん山口さんに近づき、リアルでも迫ろうとしていた。

警告を無視してギャラリーに現れる

「そのうち、SNSでBさんのアイコンを見るとパニックになるようになりました」

展覧会で在廊すれば、必ずB氏は訪れた。期間中は連日、来た。体を触られるなどの明確なハラスメントがあれば、拒絶することはできたのだろうが、ハラスメントと明確に判断できるものはないだけに、出入り禁止にすることもできなかった。

SNSの投稿をすべてチェックされ、それに対してメッセージが連日、飛んでくる。メッセージを無視して返事をしなくても、止まらない。ギャラリーでは顔も見なくてはならない。できる限りそっけなくしようとすると、B氏は敏感に察知して、より長文のメッセージを送ってくる。

1年以上にわたってじわじわ侵食され、逃げ場がなくなった山口さんは、A氏に付きまとわれた時にも相談に乗ってくれた画廊のオーナーに悩みを打ち明けた。

オーナーはB氏に対して、山口さんに近づかないよう申し入れ、もし続くようなら法的な措置をとるという警告をメールで発した。

「自分は山口さんのファンだし、応援しているだけなので」

その警告は、B氏にまったく通じなかった。その後、数回にわたってオーナーは警告を発したが、B氏は同じ反応を繰り返した。同じ日本語で話しているはずなのに、話が通じていない。SNSでブロックしようとも思ったが、「なぜブロックしたのか」と、逆上されるのが怖くてできなかった。

山口さんはさらにパニックになり、創作にも集中できなくなっていった。そうした中、別の画廊で山口さんが展覧会をした時、警告を無視したB氏が山口さんの在廊時を狙って、やはり現れた。

「本当に怖かったです」

B氏の姿を見た山口さんは、体が硬直して、どうしたらよいかわからなくなった。その時、B氏を警戒していたオーナーが山口さんを心配して展覧会の会場で付き添ってくれていた。オーナーの姿を見つけると、B氏は素早く逃げ去った。

あれだけの警告を無視して会いにきたB氏に身の危険を感じた山口さんは、勇気を振り絞り、SNSもブロックした。もっと早くブロックしておけばよかったとも思ったが、連絡を絶って逆上されるのが怖かった。

ここでやっと、B氏のストーキングが止まった。しかし、最後までB氏は「自分は山口さんの一番の理解者である」という態度を崩さず、謝罪することも反省することもなかった。

山口さんは振り返る。

「これまでストーキングやハラスメントをしてくる人は、40代から60代の男性に多かったです。今思えば、若いということや女性であるということで、そうした男性に逆らいづらいという構図の中、私のような駆け出しの作家を守ってくれる人はほとんど誰もいませんでした。作品を購入したうえで、そうした行為をされると、作品を人質に取られたような感覚もありました」

山口さんは、自分より下の世代が同じような被害に遭わないよう、自身の経験を語ってくれた。そのうえで問題点を指摘する。

「ストーキングやハラスメントをしている人は自覚がなく、作家と『相思相愛』だと思い込んでいます。悪いことをしているとは思っていなくて、作家が傷つくなんて想像していないので加害行為を続けてしまいます。新人の作家もそれが異常なことであるとか、被害に遭っていることに気が付かない。誰にも相談できないまま、自分一人で対応しなければなりません。その結果、同じような被害が繰り返されているのだと思います」

ギャラリーストーカーになる客とは

最初は普通の客だったはずが、いつの間にかギャラリーストーカーになってしまう。それは、どのような客なのだろうか。

銀座のギャラリーで働く20代女性、中井若菜さん（仮名）に尋ねてみた。ギャラリストという職業柄、数々のギャラリーストーカーを目撃してきた。中井さんによると、ストーカーになる客には、特徴があるのだという。

中井さんはコレクターにも階層があり、ピラミッドのようになっていると考えている。一番上の層が、たとえばアマゾン創業者のジェフ・ベゾス氏のような世界的な富豪。それから次に大企業やベンチャー企業の社長や役員。それから一番下の層が一般企業のサラリーマンなど、普通の人たちだ。

このいわゆる「普通の人」たちがギャラリーストーカーになってしまうケースを中井さんは多く見てきた。

彼らは若手作家の比較的安い作品を購入し、部屋の壁に飾ってSNSに写真をアップする。そうすると、作家やギャラリー、同じような美術ファンたちから「いいね！」を押されて、ちやほやしてもらえる。自分の居場所をそうしたところに見出し、ギャラリーに通う。その中で、若手作家と親しくなり、つきまといをするようになる人もいるのだという。

銀座にある中井さんの勤めるギャラリーは高級感のある店構えで、一般の客には入りづらそうに見える。それでも、例に漏れずギャラリーストーカーが出現する。

「女性作家をつかまえて長時間話す男性客はいます。また、高齢の男性でしたが、自分の作品と称して松ぼっくりにシールを貼った謎のものを、女性作家にしつこく手渡そうとしてきたことがありました。その方にはお声がけして、帰っていただきました」

ほかにも、中年の女性が、若手男性作家に「食べてね」といって、手作りの料理が入ったお弁当箱のようなタッパーを差し出してきたこともあった。中には、タケノコやれんこん、ニンジンなどの煮物が入っていた。

男性作家と女性は顔見知りではなく、違和感を感じた中井さんはタッパーを預かって、廃棄した。何が混入しているか、わからないからだ。

実際、作家の身に危険が及びそうになったこともある。

ある時、美人で知られる30代の女性作家が展覧会を開くことになった。普段は高嶺の花で手が届かない存在だが、ギャラリーに行けば在廊中の女性作家と確実に会える。女性作家のファンを自称する男性は、展覧会前からSNSで女性作家に対して「会いに行く」と予告したり、「セックスしたい」「抱きたい」といったセクハラ発言を繰り返していた。

女性作家のSNSだけでなく、ギャラリーにも女性作家がいつ在廊するのか確認するメッセージが届いた。危険であると判断したギャラリーでは男性を出入り禁止にしたが、男性が無理やりギャラリーに入ってこようとしたので、入口に侵入禁止のポールを置くなどして対応した。それでも男性は入口で待ち伏せしていて、ギャラリーから出てきた女性作家と鉢合わせしそうになった。女性作家はとっさに柱の陰に隠れ、そのまま逃げて無事だった。

女性作家にとっては、SNSという公開の場で、自分に性的な言葉を投げかけてくる見ず知らずの男性が待ち伏せしていたら、恐怖しか感じないだろう。

それ以後、中井さんはトイレや帰り道も、周囲の安全を確認しながら作家に付き添うようにしている。

「出待ちされたケースは初めてでしたが、それからは作家さんとお客さんを一対一にしないようにしています。危ないと思ったら間に割って入ったりします。作家さんの安全も大事ですが、『あのギャラリーにはギャラリーストーカーが出る』と、SNSで悪評が広まることが怖いです。ギャラリーからストーカーを生み出さないように気をつけています」

つまりは無料のキャバクラ嬢扱い

高校生の時から作家活動を始めたという30代の女性作家、佐藤悠梨さん（仮名）。美大卒業後は、関東を拠点に活躍、さまざまな美術展でも入賞するなど注目を集めている一人だ。

「私は業界でよく言われる『ギャラリーストーカー』からはターゲットにされにくいタイプの人間だと思います」という佐藤さん。確かに、大きめのピアスをしていたり、強気な印象を与えるファッションやメイクをしている。

「彼らが狙うのは、多くが学生や卒業したての若い女性で、いわゆる優しそうな、抵抗しないような人間です」と話す。

都内のあるギャラリーには、作家の間でギャラリーストーカーとして有名な男性客がいた。年齢は60代くらいで、いつもトートバッグに展覧会のチラシを詰めてギャラリーに通っていたという。佐藤さんの作家仲間という20代の女性につきまとい、ギャラリー側や作家たちからは要注意人物としてブラックリストに載っていた。

そのギャラリーで佐藤さんがグループ展に参加していた時、くだんの男性客が訪れた。作品を一通り見てから、男性は佐藤さんに向かって、「あなたが作家さん?」と聞いてきた。あらかじめ要注意人物であることを知らされていたため、佐藤さんが用心しながら「そうです」と答えると、頭のてっぺんからつま先まで、ジロジロと値踏みするように見られた後、「じゃあ」とだけ言って去っていった。

男性は直後、隣のスペースに移り、そこで展示していた美大を卒業したての若い女性たちのグループに熱心に話しかけ始めた。

「あっちにターゲットを移したんだなと思いました。とてもわかりやすいなと……」

そんな佐藤さんもギャラリーストーカーに狙われた経験がある。

佐藤さんが20代のころ、初めて個展を開いた時のことだ。50代くらいの男性客が訪れ、作品について佐藤さんに聞いてきた。

「最初は丁寧に作品をみてくれたのかと思い、嬉しくて説明をしようと思いましたが、途中からその男性の個人的な話、思想や生活の話になり、止まらなくなってしまいました。明らかに私の作品には関係のない話なのですが、まだ若かったため男性を拒否することが難しく、困っていました」

そばにいた別の若い男性がその様子をみかねて、「作品のことを聞いていいですか?」と佐藤さんに話しかけてくれた。それでも、男性客はしつこく佐藤さんにつきまとい、話し続けようとした。結局、佐藤さんが別の男性の方ばかりに話しかけ続けたため、男性客は諦めて立ち去った。

「別の男性が、その男性客との間に入って、私を離そうとしてくれたことは、とても嬉しかったです。この経験から、私もギャラリーなどで話しかけられて困っているような女性作家さんをみると、タイミングを見て話しかけ、割り込んだりすることにしています。ギャラリーストーカーに共通しているのは、作家を作家としてではなく、自分の話を聞いてくれるモノとして扱うことです。それは、無料で接待を強要するのとなんら変わらないものです」

しかし、佐藤さんによると、多くの若い作家はこうしたギャラリーストーカーを拒否することが難しいという。

「そういう人物は、自分が絵を買ったことがあることをアピールして、その作家の絵も買うようなそぶりをみせたり、自分が作家にとって利益のある人間であるというように振る舞ったりもします。多分、悪意はないのだろうと思います。ただ、自分の行動を客観視できてないのではないかなと。あなたと私の関係性は対等ではないということを知って、自分の行動を自覚してほしいです」

美術業界の作家と客の関係は、若い作家ほど立場が弱い。それを自覚しているのか、無自覚のままなのか、いずれにしても作家の弱みにつけ込んでくるのが、ギャラリーストーカーなのだ。

なぜ彼らは、ギャラリーに出没するのか。佐藤さんの言葉から、そのアウトラインが浮かんでくる。

「美術がお好きではあるのでしょうけれど、孤独感もあるのかもしれません。ギャラリーに行けば、若い女の子が自分の話を聞いてくれる。でも、それはすごく贅沢なことなんですよね。普通は、友情や家族間の愛情などを築いた関係性の上で、話を聞いてもらいます。あるいは、キャバクラとかでお金を払って対価として聞いてもらう。でも、そういう人はきっと身近な人と関係性を結べず、お金も出したくない。そこで、ギャラリーの作家がターゲットにされてしまっているのかなと思います」

東京藝大に出現する「藝大おじさん」

ギャラリーストーカーについて、作家に取材をしている中、すでに東京藝術大学や美大の在学時から、被害が始まっていることに気づいた。

美大では、学部の卒業時や大学院の修了時に展覧会を開く。また、学内でも展覧会を開催して、学生の作品を外部の人たちに見てもらう機会をつくることが少なくない。

ギャラリーストーカーは、すでにそうした美大の展覧会に出没している。

「藝大の学内で展覧会を開くと、『藝大おじさん』と呼ばれるおじさんたちが必ず、2、3人は来ます」

そう話すのは、名門中の名門、東京藝術大学の院生である20代の女性作家、中山璃子さん(仮名)だ。

「藝大おじさん」は固定メンバーで、大体60代前後。「キャバクラと勘違いしているのかな」と思うほど、若くてかわいい女子学生たちに声を掛ける。男子学生と話す時もあるが、それは、美術に関する議論をふっかけて、マウンティングするため。私生活で暇なのか、平日の昼間に来てはずっと学生に粘着しているらしい。

「あからさまなセクハラをするわけでもないので、追い出すことも難しい。お客さんの中には、画廊関係者もいて展覧会につながることもあるので、学生としては来た方全員に対して、丁寧に接しなければならず、ないがしろにはできないのです」

もともと「藝大おじさん」は、東京藝大の中でも音楽学部の演奏会などで、若い女子学生の写真を執拗に撮影したり、批評と称し「上から目線」の説教をしたりする迷惑な中高年男性のことを示す言葉だったようだが、いつの間にか美術学部にも広がり、学内の展覧会に出没するギャラリーストーカーのこともそう呼ぶようになったとされる。

同じく東京藝大を卒業した20代の女性作家、上川歩美さん（仮名）も、学内で身体を使ったパフォーマンスをした際、「藝大おじさん」にしつこく撮影されるなどの被害に遭った。上川さんは身体のラインが出るような衣装を身につけていた。

美術は時に演劇や舞踏などの分野にまたがった身体表現がおこなわれるが、勝手に作家の写真を撮影して、SNSやブログに投稿するケースもあり、作家にとって悩みの種となっている。

東京藝大に限らず、美大の卒展はギャラリーが作家をスカウトしたり、有力なコレクターが作品を「青田買い」する場でもあり、多くの美大生にとっては作家としての第一歩を踏み出す機会でもある。しかし、その中に青田買いのような顔を装ってギャラリーストーカーも紛れてくるのだ。

都内の美大大学院の出身である30代の女性画家、高瀬夏美さん（仮名）も、学内で開かれた修了制作展でギャラリーストーカーに遭遇した一人だ。

「学部生は大きな部屋で、たくさんの学生が一緒に展示しますが、大学院生は好きなスペースを使わせてもらえるようになります。私は作風から、他学科の大学院生と2人で、小さな部屋で展示していました。出入り口は1カ所しかない個室でした」

学部生の大部屋は、作品を展示している学生や作品を見にきた知人、友人たちで常ににぎわっていたが、高瀬さんの部屋は2人だけで使っていたこともあり、そこまで人の出入りが多くはない状態だった。

「美術館と違って卒展には監視のスタッフがいません。完全に学生に任されていました。来てくださった人の感想もお聞きしたかったし、作品も心配でしたので、できる限り展示室にいるようにしていました」

その日も、朝から高瀬さんが一人で展示室にいたところ、50代ぐらいの男性がふらりと入ってきた。男性は高瀬さんの作品を観て、「すごくいいね」とほめて「あなたが描いたの？」と聞いてきた。

高瀬さんは作品をほめられて嬉しくなった。「そうなんです」と言って、男性と話し始めた。ところが高瀬さんの作品の話は最初の5分ぐらいで終わり、男性は、最近見たギャラリーの展示の話や、自分で撮影した写真を見せるなど、関係のない話をし始めた。何としても、高瀬さんと話を続けようという下心が透けて見えた。

高瀬さんも最初は男性の話を聞いていたが、男性は一方的に話し、なかなか展示室から出ていかなかった。

居座り続ける男性に困惑していた高瀬さんだったが、「忙しいから」といって展示室を離れることもできない。相槌《あいづち》を打ちながら、困ってしまった。30分ほどが経った時、偶然、展示室に友人の男性が入ってきてくれた。

その友人と話があるので、というふうに高瀬さんは男性から離れて、友人のところへ寄っていった。男性はそのうちに出ていった。

「たとえば、その男性の発言があからさまなセクハラなどだったら、対応できたと思うのですが、当たり障りのないことばかりでしたので、拒絶もしづらい。どうして私はこんな笑顔で相槌を打ち続けないといけないのだろうという思いでした」

高瀬さんがさらにショックだったのは、後からきた男性の友人の言葉だった。

「困ってるんだったら、嫌だって言って断ればいいじゃん」

高瀬さんが感じた嫌悪感は友人に伝わっていなかった。高瀬さんは女性であり、誰の目にも届かないような密室に近い部屋で、男性を怒らせたり、逆上されたりした時、身に危険が及ぶ心配もある。

ギャラリーストーカーの問題の一つは、周囲から軽微な被害だと思われることにある。先述した複数の男性からつきまといを受けた山口さんのように、最初は軽いストーキングがエスカレートして、作家を追い詰めるケースもあるのだ。

高瀬さんも、今までずっと心の中で忸怩《じくじ》たる思いを抱えてきた。

「美大で教えてくれるのは、作品制作に対することだけです。その後、どういうふうに作家活動をしていけばよいのかは教えてくれません。卒展では学生に対して色々な画廊からお誘いがくるのですが、どうやって対応したらよいのか、一切わかりませんでした」

美大では、表現すべきことの意味を問い、美術史の文脈の中でどのような新たな挑戦をするのか、作品との向き合い方は教えてくれる。しかし、学生たちは卒業後に作家活動をする上でふりかかるさまざまなリスクから身を守る術《すべ》は得られないまま、美術業界に放り出されるのだ。その先には、若手作家に群がるギャラリーストーカーが待ち受けている。

調査で明らかになった被害の多さ

ギャラリーストーカーの存在は、一般に知られてはいなかったが、作家たちがツイッターで以前から指摘していた。

たとえば、漫画家の小山健さんが２０１４年11月、ツイッターに投稿した「ギャラリーで女性作家相手に無料でキャバクラ気分味わってるバカオヤジがいます」という漫画が注目を集めた。漫画では、展覧会期間中に在廊している女性作家を狙ったスーツ姿の男性が描かれ、「作品は見ない」「説教くさい」「コレクターきどり」「長居する」などの特徴があげられている

(https://twitter.com/koyapu/status/137468332533268706512470018)。

また、『毎日新聞』が「女性作家にセクハラ行為　『ギャラリーストーカー』の実態」として、大手メディアとしてはおそらく初めて、ギャラリーで展覧会を開いている女性作家に対し、男性客がセクハラしたり、食事に誘ったりする被害の実態をリポートした（2021年3月5日付）。

ほかにも、しばしばギャラリーストーカーについてふれた投稿がネットで話題になることはあったが、「一部にはそんな変わった人もいるのか」といった程度で美術好きの私ですら、軽く考えていた。しかし、その後、ギャラリーストーカーによる広範で深刻な被害を知ることになる。

さまざまな表現活動に関わる人に対するハラスメントについての調査を行っている団体「表現の現場調査団」が2021年3月24日、文部科学省で会見を開き、弁護士ドットコムニュースの記者として取材した時のことだ。

「表現の現場調査団」は、2020年12月から2021年1月にかけて実施した調査の結果を白書としてまとめ、美術、演劇、映像、デザイン、音楽、文芸、アニメ、マンガなど、さまざまなジャンルで表現の仕事をしている1449人が過去10年以内に経験したハラスメントについて公表した。

その中に、美術分野におけるハラスメントの一種として「ギャラリーストーカー／ギャラリーハラスメント」という項目があり、次のような事例があげられていた（『「表現の現場」ハラスメント白書２０２１』から抜粋）。

- 20代で展示をしたときに、立ち寄ったアート好きとかいうおじさんからしつこくデートなどの誘いを受けた。（30代、女性、デザイナー）
- 20代の頃、展示を観に来ていた初老の男性客に、「浮気相手になってほしい」と言い寄られた。断ったが、ＳＮＳを使って連絡してきたりと不快な思いをした。（30代、女性、イラストレーター）
- 展示会場の逃げ場がないスペースで会話を続けながらお客様（男性）が私に徐々に近づいてきた。会場の方が助けてくれましたが、帰り際に腕を触られました。（30代、女性、美術家）
- 20代後半の頃、銀座で個展をしていた際、見ず知らずの中年男性から、作品をオーダー通りに作ってくれたら買ってやると言われた。もちろん断った。長時間滞在され、聞きたくも無い長話をされて、他のお客さんに対応できなかった。（30代、女性、美術家）
- ギャラリー在廊中にしつこく長話に付き合わされたり、抱きつかれた。在廊に関係ない場面までつきまとわれる、ストーキング、ＳＮＳでの粘着行為、ＤＭなどを過剰に送信するなど。（30代、女性、美術家）

・展覧会に来た男性客から無料のキャバ嬢として作品に関係のない話の相手をさせられることが多々ある。女性というだけで見下しマウンティングしてくる男性客が多い。（20代、女性、美術家）

ここに転載した事例は一部だが、被害者の大部分が20代から30代の女性だった。表現の現場調査団は調査結果に対して、こうコメントしている。

「アート分野の自由記述欄には、ギャラリーストーカーの被害体験の報告が非常に多かった。これだけ多くの被害があるのだと伝えるため、多くの事例を掲載することにした。『そんな相手は、気にしなければいい』などと被害を軽視する者もいるかもしれない。しかし、被害が拡大することで、より深刻なストーカー事例に発展することもある。また、ギャラリーストーカーがストレスであるために、展覧会や表現活動を控えるケースも見られる」

白書に寄せられた事例一つひとつを読み、ショックを受けた。私自身、もともとアートの鑑賞が趣味で、フットワークの軽かった20代から30代にかけては週末ごとに都内の美術館やギャラリーを見て歩いていた。自分と同世代の若い女性作家がいれば、応援の意味も込めて、少ないおこづかいから作品を購入したりもした。

新進気鋭と注目を集め、ギャラリーでは素敵な作品を展示して輝いていた作家たちが、舞台裏ではこんな被害にあっていたのかと、愕然《がくぜん》とした。

同時に、実際に作家たちはどのような被害に遭っているのか、なぜなかなか防ぐことができないのか、そこには何か美術業界特有の、伝統的かつ構造的な問題があるのではないか、そんな疑問がふつふつとわいてきた。

そこでまず、ギャラリーストーカーに遭遇したり、被害に遭った作家たちに話を聞き始めた。すると、若い女性作家のほとんどが被害に遭っているのではないかと思われるほど、次から次へとギャラリーストーカーの被害が明らかとなっていったのだ。

なお、ストーカーに関しては、現在「ストーカー規制法」という法律によって、「つきまとい・待ち伏せ・押し掛け・うろつき」「面会や交際の要求」「乱暴な言動」「名誉を害する事項を告げる」といった行為が禁止されている。また、各自治体が定める迷惑防止条例でも、つきまとい行為を禁止しているし、軽犯罪法でもつきまとい行為は処罰の対象となっている。

本書でいう「ギャラリーストーカー」は、被害者の目線に立ったものであり、実際の法律や条例で定義するストーカーとは異なる場合があることはあらかじめお断りしておく。

第2章

ギャラリーストーカーが野放しになるワケ

背景にある美術マーケットの特殊な構造

なぜ、これほどまでに深刻な被害が広がり続けているのに、ギャラリーストーカーは野放しにされているのだろうか。被害に遭ったことのある作家たちへの取材から、その特殊な背景が浮かんできた。

作家はギャラリーの客やコレクターからの誘いを断りにくい。その理由は、現在の美術マーケット独自の構造にある。

美術作品が注目されるのはいつか。考えてみるとわかりやすい。その多くが、有名オークションで高額落札された時だろう。たとえば、2019年5月、ニューヨークの競売大手クリスティーズで、アメリカの作家、ジェフ・クーンズの彫刻「ラビット」（1986年）が9100万ドル（当時約100億円）で落札され、世界中のニュースになった。存命中の作家としては最高落札価格という。

こうしたオークションに出品されるのは、誰かが一度、所有していた作品となる。その際に、ギャラリーで購入した価格よりも、さらに高額へと押し上げるのが、「誰が所有していたか」という来歴だ。有力なコレクターが所有していた作品は、価値があるとみなされ、より高額で落札される傾向にある。

たとえば、クーンズの作品「ラビット」は、作られた当時の価格は約４００万円だった。有力なコレクターが彼の作品をコレクションすることで、クーンズの評価が高まり、作品の価格を高騰させたと言われている。

ギャラリーは新人を発掘して、有力なコレクターに作品を購入してもらう。有力なコレクターは、その作家の作品を自らのコレクションとすることで、作家の市場での価値をさらに上げる。やがてオークションに出品して高額落札されれば、自らの資産運用にもなる。これが、コレクター抜きには語れない、欧米中心の美術市場における人気アーティストの誕生プロセスだ。

国内でも、有力なコレクターは存在する。たとえば、精神科医の高橋龍太郎さんが築き上げた「高橋龍太郎コレクション」は、草間彌生さんや奈良美智さん、村上隆さんをはじめ、国際的にも知られる日本人アーティストの代表作が集められている。

高橋龍太郎コレクションは、美術館が現代アートの展覧会を開く際には作品を貸出するなど、美術業界では重要な役割を担う。

まだ駆け出しで無名の若い作家が、少しでも有力なコレクターとつながりを持ちたいと考えるのは、当たり前のことだろう。コレクターからの食事の誘いを断り、相手の機嫌を損ねることを恐れるのも無理はない。

20代の画家、坂上菜穂（仮名）さんには、苦い思い出がある。学生時代、ある老舗《しにせ》企業の社長で、コレクターを名乗る男性、C氏（50代）と知り合いになった。

C氏は、坂上さんが大学の卒業制作展で展示していた作品を気に入り、会場で「この作品をつくった方はどなたですか？」と聞いてきた。坂上さんが自分が作家であることを名乗ると、C氏は作品をほめながら、2枚の名刺を渡してきた。

1枚は、老舗企業の社長という肩書きの名刺で、これまでの仕事のキャリアがぎっしり並んでいた。もう1枚は、コレクターとしての肩書きの名刺で、ギャラリーオーナーとも書かれていた。

「僕は美術業界で顔が広い。僕なら、君のことをもっと広い世界で活躍できるよう、育てることもできる。詳しい話は今度ご飯でも食べながら話そう」

C氏は、言葉巧みに坂上さんを会員制レストランに誘い出した。

「世界的な作家と家族ぐるみで付き合いがある」「有名なギャラリーに人脈を持っている」。C氏が語る美術の世界は、まだ無名の作家だった坂上さんにとって、キラキラしたものに見えた。

C氏はいずれ、マージンを取らずに作家に売上を100％還元するギャラリーを開くのが夢だとも語った。画廊によって異なるが、通常は作品の売上のうち、作家には5割程度しか渡されない。ところが、C氏はその常識に囚《とら》われない新しいギャラリーを目指すのだという。

「神様みたいな人だなと思いました」

作家のことを本当に考えてくれるコレクターなのだと、坂上さんはC氏に尊敬の念すら抱いた。

ところが、2回、3回と呼び出されて食事はするものの、「坂上さんを育てる」という話は一向に出てこない。C氏はどれだけ自分が美術業界で影響力を持っているのか、ということを繰り返し、自慢話に終始していた。坂上さんの作品についての話は2回目以降、もう出てこなかった。

尊敬が失望へと変わっていった。

「結局、そうやって若い作家に名刺を配って、自分がどれだけすごいかを話したいだけなんだと気づきました。承認欲求が強い人だったのかなと思います。期待値が高かっただけに、気づいた時にはとても消耗していました。キャバクラでお店の女性相手に自慢話しているような感じだったのではないでしょうか」

しかし、作家の仕事は食事をしたり、お酒を飲んだりしながら、男性の自慢話を聞くことではない。C氏に失望してしまった坂上さんは、食事の誘いを断るようになり、やがてC氏からの連絡も途絶えた。

その後、C氏が夢のようなギャラリーを開いたという話を坂上さんは聞いていない。

若い作家を「利用」する画廊

「現役の美大生や美大を出たばかりの若い作家さんは、早く売れたいと思っています。その気持ちをお客さんやギャラリーが『利用』することもよくあります。ギャラリー側も、男性オーナーが若い女性作家さんに対して、『もっと女であることをうまく使って』と言って、作品を売るようにけしかけるようなことまでありますね」

第1章でコレクターについて教えてくれた銀座のギャラリーで働く中井さんは、取材の中で気になることを語っていた。本当だろうかとすぐには信じがたい思いだったが、30代の女性画家、小杉綾香さん（仮名）が語ってくれた被害は、ギャラリーストーカーだけでなく、ギャラリーも原因だった。

小杉さんは10年ほど前、都内の美大を卒業後、画家として活動を始めた。デビュー当時のことを、「ギャラリーストーカーは、若手作家にとっては『洗礼』みたいなもので、それはもう酷かったです」と振り返る。

小杉さんは決して、大人しそうに見えるタイプではない。相手の目を真っ直ぐ見て話をするし、ファッションも特段フェミニンな印象はない。一見、ギャラリーストーカーを寄せ付けない雰囲気だが、それでも被害に遭ってきた。

20代の頃、ギャラリーに在廊していた時に現れたのが「名刺くれおじさん」だった。若い女性作家をみれば、とにかく「名刺を寄越せ」と詰め寄ってくる人物として、作家仲間では知られていた。

「私も当時はあまり意識せずに、名刺に自分の電話番号を載せてしまっていたら、個展を開く時に電話がかかってきてしまって、本当にびっくりしました」

その「名刺くれおじさん」は小杉さんに対して、「今から個展に行ってやるから」と告げ、実際にギャラリーに来たという。その日は個展の初日で、レセプションパーティーが開かれていたが、「名刺くれおじさん」は飲み食いしながら、小杉さんに対して「酒をお酌しろ」「カバンを持て」など、まるでキャバクラに来た客のようにふるまった。

生まれて初めてそんなことを言われた小杉さんは、ショックを受けた。

「私はスタッフじゃないのでお酌できません」「お店じゃないのでお酌できません」などと言って、やり過ごすしかなかった。

「そういう経験を積んで、今では逃げられるようになりましたが、20代の若い子だとまともにくらってしまうだろうなと思います。特に貸画廊とかだと、ギャラリーではなく自分が管理しなくてはならないので、守ってくれるギャラリーの人がいないのが厳しいですね」

ギャラリーは、大まかに分けて2種類ある。小杉さんが指摘した「貸画廊」。それから、「企画画廊」だ。

「貸画廊」は、文字通り作家にスペースを賃貸するギャラリーで、作家の展覧会を企画して作品を販売する「企画画廊」とは区別される。「企画画廊」であれば、ギャラリーにもよるが、ギャラリーストーカーのような客から作家を守ってくれるケースもある。

「たとえば、ギャラリーストーカーの男性に話しかけられていたら、用事があるふりをしてバックヤードに呼んでくれるとか、裏口から逃がしてくれるとか、対応してくれます。でも、中には『お客さんなんだからそれぐらい相手してあげて』と放置されるところもありますね」

ギャラリーにとって「上客」であるコレクターの場合は、ギャラリー側も断りづらい。小杉さんは、コレクターの既婚男性から「付き合おう」と言われたことがあった。つまり、「愛人になれ」という意味だ。

そのコレクターは、小杉さんが展覧会を開くギャラリーと古くから付き合いがあった。コレクターは、自分が優位な立場にあることを小杉さんに誇示して、愛人になるよう迫った。

「僕はギャラリーの偉い人と仲が良いから、言うことを聞いた方がいいよ」

もちろん小杉さんは断った。そのコレクターが、小杉さんだけでなく、あちこちの若い女性作家に対して同じように誘っているとの噂を聞いたのは、少し経ってからのことだ。

ところが、このときにコレクターの機嫌を損ねたことで、小杉さんとギャラリーとの関係が険悪になってしまう。

「その後、そのギャラリーとも、ギャラリーと仲の良い他のギャラリーや作家たちとも仕事することができなくなりました。私のチャンスが奪われるという最悪のトラブルでした。今でも、その人は別のギャラリーで私の作品を買ってるようで、メッセージが届くのですが、無視しています」

ギャラリーという名の密室で

ギャラリーストーカーの取材を始めてから、実際に画廊やアートスペースに足を運ぶようになった。どのような環境から、ギャラリーストーカーが生まれるのか見たかったからだ。

老舗百貨店やブランドの旗艦店が軒を連ねる東京・銀座。

新橋方面から銀座方面に向かって中央通りを歩いてゆくと、現存する国内最古の画廊と言われる「資生堂ギャラリー」が見えてくる。1919年に銀座の地でオープンして以来、名だたる美術家を輩出してきたギャラリーだ。

数寄屋橋交差点近くに重厚なエントランスを構えているのは「日動画廊」。こちらも老舗として知られ、1931年にオープンした。海外から帰国していた画家、藤田嗣治《つぐはる》が1934年に東京で初めて個展を開いたのは、日動画廊だった。

そんな老舗画廊から、最先端の現代アートを扱うギャラリーまで、100軒とも200軒ともいわれる画廊が銀座にはひしめいている。国内随一の美術の聖地でもあり、毎日どこかで、美術家の作品が売買されているアートマーケットの中心地でもある。
早くプロとして名を揚げたい若い作家にとって、銀座は間違いなく目指す場所のひとつだ。

2022年春、ふらりと立ち寄ったあるギャラリーでは、美術大学を卒業したばかりの若い女性画家の展覧会が開かれていた。

そのギャラリーは、現代アートを中心に扱うことで知られ、世界的に評価の高い美術家の作品売買も手がける。女性画家もそうした先輩美術家たちのような活躍を嘱望されているのだろう。その日は展覧会の初日で、女性画家の門出を祝うオープニングレセプションでは、飲み物と軽食がふるまわれていた。女性画家を売り出そうとするギャラリーの熱意が伝わってくる。

作品を見ていると、ギャラリーに飛び込んできたスーツ姿の中年男性がいた。以前から取引のあるお得意様のコレクターらしく、ギャラリーの男性オーナーが丁重にもてなし、すぐに女性画家を呼んで紹介した。女性画家は男性の隣につきっきりで、作品1点1点について説明していく。

男性も女性画家に質問をするが、作品の意図や制作方法についてだけでなく、徐々にプライバシーにかかわる領域にも踏み込んでいった。画廊オーナーが下にも置かない扱いをするコレクターに聞かれれば、教えたくないとは言いづらい。作品を購入してくれるかもしれないコレクターのご機嫌を損ねたくはないからだ。

「どこに住んでいるの？」

「どこで制作してるの？」

「休みの日は何をしているの？」

コレクターがどんな質問を投げても、女性画家は表面上、にこやかに答えていた。

2人のやりとりを横で見ていて、「危うい距離感だな」と感じた。ギャラリーを出てからも、何かが心の中でつっかかってスッキリしない。

作品を鑑賞し、購入する場であるギャラリーだが、作家と客がお互いの適切な距離感を保てなければ、作家が客を過剰に接待する「密室」に転じやすい。関係者以外、外部からは何が起きているのかわからないまま、場の性格が変質してしまうのだ。

たとえば、レストランに行き、シェフが腕をふるった料理を堪能する。シェフがいれば、料理についてあれこれ聞いたり、料理をほめることもあるだろう。しかし、シェフがどこに住んでいるのか、休みの日は何をしているのかまで聞くかどうか、自問してみれば、先のギャラリーでのやりとりの危うさがわかるだろう。

女性画家にもらった名刺をあとでみたら、SNSのアカウントだけでなく、個人のメールアドレスも記載されていた。私がもしも彼女の作品を買い、このメールアドレスに直接連絡して、「もっと作品について話が聞きたいし、購入もしたい」といって呼び出したら、彼女はどうするだろうか。

美術大学を卒業したばかりの若い女性画家には、芸能人のように過激なファンやストーカーから守ってくれる事務所やマネージャーはいない。企業では、上司が部下に対して、「仕事をあげるから」といって、プライベートな食事に誘うことはハラスメントにあたる。しかし、フリーランスの女性画家には、会社員のように社内のハラスメント相談窓口があるわけでもない。無防備な状態の女性画家と2人きりになるのは、そう難しいことではない気がした。

美術業界での経験が浅い若い作家ほど、客との適切な距離感を保つことが困難であり、必要以上の関係を求められてトラブルに陥りやすい。作家側も、美術業界で早く評価を得たい、そのためには作品を売りたいという思いがある。

そこに、ギャラリーストーカーがつけこむ余地がある。

一方で、「ギャラリーストーカーを避けたいなら、在廊しなければいいじゃないか」とも考えてしまう。ところが、作家が在廊をやめないのは、コレクターや客との出会い以外にも他に目的があるのだという。

画廊で展覧会を開けば、新たな作家との出会いを求めて、他の画廊のオーナーやアートディーラーたちも訪れる。

ギャラリストたちは、作家の人となりを見たり、作品について尋ねたりして、自分の画廊で展覧会を開くかどうかの判断をする。

また美術を専門とする批評家やジャーナリストも来場して作品を見ていくこともある。その際に、作家自ら作品の解説をして、より理解を深めてもらえば、彼らからの評価が上がるのだ。

批評家やジャーナリストから高評価を得れば、それを見たギャラリストやキュレーターたちから声がかかるかもしれない。

作家にとっては、在廊は次の仕事につながるプレゼンの機会でもあり、特に若手にとっては活躍の場を広げるために重要となっている。

40代以上の中高年男性に多いギャラリーストーカー

「どうして彼らがそういう行動をとるのか、まったくわかりません」

ギャラリーストーカーについて取材する中、被害に遭った女性作家たちがそう話すのを、何度も聞いてきた。

当たり前のことだが、作家側は彼らをあくまで客やファン、あるいはコレクターとして扱い、一定の線引きをして応対する。しかし、彼らはあっさりとそのラインを越えて、作家側の領域に土足で踏み込んでくる。作家たちからすると、「ありえない行動」であり、理解できないと考えるのも当然である。

その一歩は、どうして踏み出されるのか。彼らにはどのような行動パターンがあり、どうすれば防ぐことができるのだろうか。

取材を重ねるごとに、疑問は深まるばかりだった。

これまで取材できたギャラリーストーカーのケースでは、被害者が20代から30代の女性作家ばかりだったことも気になった。

画家である中島健太さんの著書『完売画家』（CCCメディアハウス）には、画家として仕事をする上での経験やアドバイスがつづられているが、その中でもギャラリーストーカーについて触れられている。

「これは、男性作家にはあまり関係のないことですが、じつは業界でしばしば問題になるのが、ギャラリーストーカー問題です。」

「これはある女性作家からの伝聞ですが、女性作家の間では『女性作家一人につき、ギャラリーストーカーは二人いる』という共通認識さえあるそうです。」

中島さんの弟子だった女性作家も被害に遭い、展示をすれば長時間居座られ、コレクションを見に来ないかといって自宅へ誘われるなどして、精神的に追い詰められたという。

程度に違いはあれども、多くの女性作家が被害に遭っているようだ。では、どのような人物がギャラリーストーカーになるのか。

人物像を知りたくて女性作家たちに尋ねると、40代以上の中高年男性が非常に多かった。中には、高齢とみられる人物も含まれている。

参考までに、警察庁のまとめをみてみると、２０２１年のストーカー事案の被害者は87・6％が女性だった。また、被害者の年齢は20代が最も多く34・３％、次いで30代が22・９％。若い女性がストーカーに狙われやすいことは、統計にも表れている。

他方、加害者はどうか。同じく警察庁のまとめによると、男性が80・7％とやはり高い割合で、イメージと重なる。年齢は20代と40代が最多で18・1％、次いで30代が17・3％、50代も12・7％と、年代はまんべんなくみられた。この傾向は、毎年変化はないという。

ギャラリーストーカーの場合は統計に比べてやや高齢だが、美術が趣味であるという前提を考えれば、そこまでの違和感はない。

ただ、先述したように、警察が扱う事案は、ストーカー規制法などに基づいている。ストーカー規制法は、次のように、ストーカーを「つきまとい等」の行為を「反復してすること」と定めている。


【この法律において「ストーカー行為」とは、同一の者に対し、つきまとい等（第一項第一号から第四号まで及び第五号（電子メールの送信等に係る部分に限る。）に掲げる行為については、身体の安全、住居等の平穏若しくは名誉が害され、又は行動の自由が著しく害される不安を覚えさせるような方法により行われる場合に限る。）又は位置情報無承諾取得等を反復してすることをいう。】

本書でいうところのギャラリーストーカーも、酷いケースだとこの「ストーカー行為」に当たるだろう。

最初は普通の客だったり、コレクターだったり、ファンだったりしたはずの彼らが、なぜ一線を越えてギャラリーストーカーをしてしまうのか。その「理由」を探るために、専門家のもとを訪ねることにした。

「善意」でストーキング

NPO法人「ヒューマニティ」理事長、小早川明子さんは、600人を超えるストーカーと対峙《たいじ》してきた。多くのストーカー被害者の相談に乗り、ストーカーのカウンセリングもおこなっている第一人者である。

小早川さんは以前、ギャラリーストーカーの被害に遭っている女性作家から相談を受けたことがあった。

女性作家はストーカーに大量の作品を購入されてしまい、つきまといを受けていた。女性作家は悩み、ギャラリーに相談したが、「こちらこそ、迷惑を受けているので、もうあなたの作品は置かない」といって突き放され、作品を発表する場を失ってしまった。

誰にも相談できず、困り果てた女性作家は、小早川さんのもとにたどり着いた。

「その時、作家の方に美術業界にどこか仲裁をしてくれるような組織や団体はないのかと聞いたのですが、ありませんと言われました。ギャラリーストーカーの問題を個人間で解決しなければならないとしたら、私のようなカウンセラーや弁護士が介入して解決するしかないです」

結局、その女性作家からの相談は途絶えてしまったという。警察に相談するという選択肢もあったのだろうが、ギャラリーストーカーの場合はそのハードルは決して低くない。

「警察がストーカー規制法などで被害だと認定するためには、これはつきまとい行為であるという明らかな証拠が必要になります。相手に対して接触を断った上で、それでも接触してきたという証拠を警察に示さないとなりません。しかし、相手がお客さんで作品を購入されているとあらゆる接触を断るということはなかなか難しいです」

また、現在のストーカー規制法は、加害者側に恋愛感情や好意があるということが要件になっていることも、ギャラリーストーカーを刑事事件として扱うことを難しくしている。ギャラリーストーカーにとって、「作品が好きなだけ」「ファンとしての応援です」という「建前」を並べることは簡単だからだ。

ギャラリーストーカーが発生する理由の一つとして、小早川さんは、「ギャラリーという場は、ターゲットとなる人を見つけやすいのだと思います」と指摘した。

「狭い空間で、女性が作品を売っているわけですよね。お客さんという立場であれば、近寄るハードルも低いですし、無下にされないとあらかじめわかっているわけです」

では、若い女の子を物色しようとわざわざやってくるのかと思いきや、驚くことに小早川さんはギャラリーストーカーは「善意」でやっている可能性も少なくないのではという。

「自分のことをカスタマー、あるいはファンだと思ってますし、作品を買うこともありますから、本人は自分が迷惑な行為をしていると思っていなくても不思議ではありません。ストーカーは悪意でやっているのだろうと思われがちですが、必ずしもそうではなく、善意からストーカーになる人も実際に多くいます」

善意、とはどういうことなのだろうか。

小早川さんの著書『ストーカー――「普通の人」がなぜ豹変するのか』（中公新書ラクレ）によると、ストーカーには5つの類型があるという。

オーストラリアのモナッシュ大学の研究者らが2009年、精神科医や心理士など専門家に向けて開発したストーカーのリスク評価手法「Stalking Risk Profile（SRP）」にもとづくもので、リスク評価のための体系的な専門判断ツールとされる。

SRPのストーカー類型は、「拒絶型」「憎悪型」「親しくなりたい型」「相手にされない求愛型」「略奪型」に分けられている（平成26年度「ストーカー加害者に対する精神医学的・心理学的アプローチに関する調査研究（I）報告書」より）。

たとえば、「拒絶型」は、もともと性的に親密な関係にあった夫婦や恋人同士、あるいは家族・親友など近い関係にあった人同士の関係が崩れたときに起きる。拒絶型のストーカーは、当初そうした関係を再構築しようとするが、不可能だと分かると、復讐に転じる。被害者に怒りを持っており、ストーキング行為によって、ストーカーの傷ついた自尊心は救済され、ストーキング行為が持続される。

小早川さんによると、この「拒絶型」こそ、ストーカー殺人事件によくみられる動機だという。

では、ギャラリーストーカーはどう判断すればよいのだろうか。

「ギャラリーストーカーの場合は、『親しくなりたい型』に当てはまることが多いと思います。お互いに歴史はない、ギャラリーで単に見知っただけの人なのに、親しい存在が自分のまわりにいないという孤独感などから、一気に『結婚してください』とアプローチしてしまったり、彼女のためだと思って、大量の作品を買い付けたりしてしまいます。勝手に自分が守るんだとボディガードのつもりで、帰りに送っていきましょうかと言ったり……。そんな人が多いのではないでしょうか」

「親しくなりたい型」は、どういうストーカーなのだろうか。

前記の報告書によると、孤独感や、相談できる親しい相手がいないことで発生するという。通常、被害者にとって、ストーカーは見知らぬ人か、知人程度だが、ストーカー側の恋愛感情や親密になりたいという思いが動機となっている。

このタイプのストーカー行為は、しばしば被害者に対して、実際には何も関係性がないにもかかわらず、恋愛関係があるというような妄想を持ち、中には重篤な精神疾患によって助長されるケースもある。ストーカーが他者と親密に繋《つな》がっているのだという確信からもたらされる満足感により、ストーキングは持続されてしまう。

確かに、このタイプのストーカーは、恋愛関係や夫婦関係など一切ない、「見知らぬ人」や「知人」をストーキングしてしまうギャラリーストーカーのイメージと重なるところは多い。

ギャラリーストーカーを衝き動かすもの

一部のギャラリーストーカーは「善意」に基づいて動いていると、小早川さんは見立てる。たとえば、大量に作家の作品を買い込もうとする人がいる。作品を介して、作家を支配したい、束縛したい思いが強いのではないかと考えてしまうが、それも「善意で、心からやっているつもりなのだと思います」という。

「私のところには、女性にストーキングしてストーカー規制法違反などで逮捕された人が、担当の弁護士さんに連れられてカウンセリングに訪れることがあります。彼らは、『反省しています』と何度もいうのですが、では何を反省しているのかと聞くと、『自分のアプローチの仕方が悪かったから、こういう結果になった』などというのです」

もっと彼女が自分を受け入れやすいようなアプローチをしていたら、逮捕などされなかったと彼らは訴えるのだ。小早川さんが「彼女はあなたのことが嫌だから、警察に相談したのではないですか？」と聞けば、「それは彼女の周囲が悪い」と断言したりする。

「彼女は本当は嬉しいはずなのに、彼女の親や職場が彼女の気持ちを無視して、恋路を邪魔するように干渉してきたから、警察に相談したのだと思います」

まったく悪びれることなく答える彼らもまた、悪意はなく、純粋な気持ちで動いているのだ。

「ギャラリーストーカーも似たようなところがありますよね。彼女は作品を買ってもらえたんだし、喜んでいるはず、自分は良いことをしたのだと思っているはずです。たとえば、もしも画廊にストーキングを邪魔されたら、彼女の周囲が悪いと考える人たちも少なくありません」

最初から現実と認識の間に乖離《かいり》が起きてしまっているために、被害者側からすればまったく理解できない行動となってしまうのだ。いくら善意だとしても、それはあまりに独りよがり、独善的ではないだろうか。

一方で、小早川さんは、ギャラリーストーカーは善意だけで動いているわけでもないという。その理由は、被害者に若い女性作家が多く、加害者には中高年男性が多いことから浮かんでくる。

「『相手にされない求愛型』のストーカーもギャラリーストーカーには存在しているのではないかと思います。このタイプのストーカーは、『親しくなりたい型』のように結婚とか恋愛したいとかではなく、性的欲求から、一時でよいから二人で話したい、セックスがしてみたいといったファンの心理に近いです」

「対象が若い女性作家の場合は、作品にはまっているのではなく、女性作家自身にはまってしまっているわけです。それは、性欲求の過剰な作動があると考えられます」

性欲求に衝き動かされているのだとしたら、若い男性の方が多くなるのではないかという気がするが、必ずしもそうではないらしい。

「性欲求は本能によるものです。ストレスが加わると、ストレスは死の方向性を持つことから、生きる欲動が生じるのです。たとえば、仕事でプレッシャーを抱えたり、親しい人と離れて孤独に陥ったり、あるいは、男性としての機能が低下するなどのストレスから、性欲求や摂食衝動に駆られることもあるのです。だから、中高年男性がストーカーになるのも不思議ではありません」

小早川さんはさらに、ギャラリーストーカー像を浮き彫りにしていく。

「欲動が強いとは反射が速いこと、言い換えれば刺激に対する反応の速さです。そうして欲動の強い動物が生き抜いてきたのです。相手の行動や気分を素早く察知し、行動します。頭の回転も速いし、機転もきく。仕事もできる人ではないでしょうか。だから財力もあって作品を購入することもできるわけです。特定の相手に対して固着し、強すぎる接近欲求を制御できず正当化することにも長けるのです。ギャラリーストーカーなら、購入した絵の感想を伝えるために食事をしたいとか。狙われたらたまらないと思います」

そんなギャラリーストーカーに狙われたら、作家はどうすればよいのだろうか。

自衛策として、「予防すること、そしてストーキングの芽を早めに摘むことがとにかく大事です」と小早川さんはアドバイスする。作家から継続して得られていた反応が得られなくなったり、突然接触を拒絶されたりすると、「善意」が踏みにじられたと思い込み、恨みをはらそうと考えることにもなりかねない。ストーキングが継続すれば、深刻化することにもなり、解決が難しくなるからだ。

たとえば、ギャラリーに在廊する時は、絶対に客と一対一にならないこと。「男性の友人、ギャラリーのスタッフに頼んですぐ横にいてもらえば、かなりの抑止力になります。食事に誘ってきたり、つきまとうようでしたら、架空でもかまわないのでマネージャーといって男性の名前で断ったり、男性の友人、家族に断ったりしてもらっても良いでしょう」

SNSでしつこくリプライしたり、大量にDMを送ってくるギャラリーストーカーについても、初期の対策が大事だという。

「あらかじめ、ファンの方への公平性を保つためという理由をつけて、一切返事をしないというルールを明記しておくことも一案です。もしそれを明記せずに返事を放置すると、一方的に恨みをつのらせる可能性があります」

小早川さんは、美術業界のサポート体制をつくることが必要だという。

「まず大学やギャラリーで、学生や若手作家に対して、自衛策をきちんと教えることです。ギャラリーも顧客に対して禁止事項を常に明らかにしておく。たとえば、病院でも今、スタッフに対する暴力やセクハラ、迷惑行為の禁止を明記したポスターが貼られていますよね。そういうルール作りが美術業界には必要ではないでしょうか」

対策は「対症療法」

「ギャラリーストーカーの問題はとても難しいです」

そう話すのは、芸術分野のハラスメント問題に取り組んでいる馬奈木厳太郎弁護士だ。

刑法や各自治体の迷惑防止条例などで定められるストーキング行為とはいかないまでも、作家にとっては迷惑な行為である「グレーゾーン」で、多くのギャラリーストーカーの被害は発生しているからだ。

そのため、ギャラリーストーカー対策のための制度や被害者へのサポート、相談窓口などがまったく足りていないと指摘する。馬奈木弁護士は、ギャラリーストーカーへの対処がなぜ困難なのか、その理由をこう説明する。

「特に、貸画廊の場合、契約上、画廊は場所を貸しているだけであり、作家が主催者となります。だから、何か問題が起きても画廊は守ってくれません。主催者である作家の責任になります。一方で、貸画廊は作家がお金を払えば気軽に展覧会ができます。作家にとっては、表現の場が確保されているわけです。なので、ギャラリーストーカーの対策を貸画廊側に厳しく求めようとすると、このメリットを失うことにもなりかねないのです」

直接ファンと交流できるほか、作家が在廊していれば来場者数も増える。多くの人に作品を見てもらえば、販売にもつながるのだ。

また、近年特に問題となっているのが、SNSにおける誹謗《ひぼう》中傷やプライバシーの侵害だ。

「少し前であれば、おかしな客は無視しておけばいい、相手をしなければいいという手段がありました。ところが、今は上手に対応しないと、ギャラリーストーカーにSNSで何を書かれるかわからないという懸念があります。SNSでブロックされると、怒りで悪口を書く人もいます」

もしも、誰だかわからないアカウントから誹謗中傷を受けてしまった場合、プロバイダ責任制限法に基づき、被害者がネットでの発信者の情報の開示を求めることができる。しかし、煩雑な手続きを経て、やっと慰謝料請求ができるもので、必ずしも被害者にとって使い勝手の良いものではなかった。

「そのため、法律が変わって、2022年10月から改正プロバイダ責任制限法が施行されました。これによって、新たな裁判手続が創設され、1回の手続で処理できるようになっています。しかし、慰謝料を請求できたとしても、慰謝料の相場は安く、弁護士への依頼料の方が高くなってしまうことが少なくありません」

ギャラリーストーカー問題の難しさは、根本的な解決がなかなかできないところにある。馬奈木弁護士にアドバイスを聞いてみた。

「すぐに効果はないかもしれませんが、ギャラリーストーカーの経験や知識を作家同士で共有して、対症療法的ではあるけれども対策についても講習会を行うなど、美術業界で問題意識を持つことが大事なのではないでしょうか」

美術家からも絶賛された、画廊「くじらのほね」の取り組み

ギャラリーストーカーの取材を始めてから、書店の美術書コーナーをのぞくことが増えた。作家たちがあれほどまでに、被害を打ち明けてくれているのだから、何かの本に記されているのではないかと期待してのことだった。

都内のある大型書店では、大きな本棚が4本か5本、すべて美術関係の書籍で埋め尽くされていた。画集もあれば、美術館ガイドもある。絵画の見方、画家の人生、アートマーケット指南、アートプロジェクトの舞台裏、難解な美術批評、あらゆる美術の本が並んでいる。

しかし、ギャラリーストーカーについて本格的に触れた本はどうにも見当たらない。ギャラリーストーカーの被害は、美術業界では昔から広く知られていたにもかかわらず、である。

多くの若い作家たちは美術業界において、画廊や顧客に比べて弱い立場に置かれている。作家たちは声を上げることもできず、被害は黙殺されてきたのではないか。あるいは、「大した

ことではない」と軽視されてきたのではないか。

そんな思いがどんどん膨らむ中、同じようにこの状況を変えようとしている画廊があることをツイッターで知った。千葉市にある企画画廊「くじらのほね」である。

２０２０年7月、「くじらのほね」ではオープンに先立ち、「作家さんにプライベートなお誘いをする」「作家さんに執拗に連絡先を尋ねる」などの迷惑行為を禁止することをツイッターで公表し、多くの人たちに絶賛された。当時も今も、こうしたギャラリーストーカー対策を明文化する画廊は、他に見たことがない。

どんなことが書かれていたのか、紹介しよう。


悲しいことに、近年様々な展覧会場で、在廊中の作家さんをターゲットとした迷惑行為が散見されます。

作家さんの安全を守ることは画廊の責任であると私たちは考えます。

法律家の知人と相談の上、方針を定めました。

情勢を踏まえ、少々厳しめにいきます。


として、次のような行為を禁止した。

・在廊する作家さんと二人きりになろうとする
作家さんの安全面から店主も同空間に必ずいるようにしております。万一お客さんが作家さんと二人きりを望み、それを作家さんが望まない場合はその時点でお帰りいただくことをお願いする場合がございます。

・作家さんにプライベートなお誘いをする
食事やドライブなどプライベートな誘いを作家さんにすることをくじらのほねでは禁止しております。

・作家さんに執拗に連絡先を尋ねる
個人的な連絡先を作家さんから聞き出そうとする行為はくじらのほねでは禁止しております。

これ以外にも、作家への被害がある場合は退去を求めること、退去に応じない場合は不退去罪にもとづいて警察に通報することなどを明記。作品を購入したことを理由に行為に及んだ場合は、売約を取り消すことも書かれていた。

なぜ、こうした対策に至ったのか、その経緯を「くじらのほね」オーナー、飯田未来子さんに尋ねてみた。

きっかけは、飯田さんが「くじらのほね」のオープン準備中、作家たちと話をしているうちに気づいたことだった。

「何人かの作家さんから、在廊しているときがすごく不安だという声があったんです。私はもともと美術業界にいたわけではないので、最初はピンと来てなかったのですが……」

飯田さんが詳しく聞くと、作家たちはさまざまな被害にあっていることがわかった。「作品を買ったんだから、食事に付き合え」とつきまとわれたり、批評といって暴言を吐かれたり。SNSで大量のメッセージが送られることもあった。

「過去に嫌な思いをした作家さんに話を聞いていくと、共通するのがギャラリー側が何もしてくれなかったということでした。貸画廊の場合は、どうしても作家さんが主催者になってしまうので、オーナーが不在のこともあります。ただ、企画画廊のケースでも、ギャラリーのオーナーがそのお客さんを許していたら、作家さんが追い出すことはできません。悪質なケースだと、作品を売るためにお客さんと食事してこいというギャラリーもあったようです」

被害者は泣き寝入りの「ブラックボックス」

飯田さんは美術業界に入る前には小売業界で働き、店長をつとめた経験もあった。外からの視点で、美術業界を見ることができたことも大きい。

「お店でも、お客さんがスタッフに絡んでくるケースはありました。そのときに盾になるのは、商業施設の警備員ですし、対策を立てるのは、店舗の店長や会社の責任者というのが当たり前でした。うちの画廊では作家さんにこちらがお願いして、企画展を開いていただいている立場です。小売業界の感覚からすると、画廊側に作家さんを守る責務があるんじゃないかなと思ったんです」

そこで作成したのが、ツイッターで公表した「画廊内での禁止事項」だった。

この対策はツイッターで広まり、共感を集めた。「自分も作品購入したからといって、連絡先を求められたことがある」「イベントブースでずっと自分の話をして帰らない人がいた」などと被害を打ち明け、賛同する人たちもいた。

飯田さんは「主催者が企画画廊の場合、安全管理の責任は画廊側にある」と考えている。だから、その感覚でツイートしたところ、反響があったことに驚いたという。

「当たり前のことを明文化しただけなのですが、『よく書いてくれた』と大きな反響がありました。それで、自分が書いたことは美術業界では珍しいことだったんだなと思いました」

飯田さんによると、ギャラリーストーカーや、作家へのハラスメントは必ずしも、客から作家に対してとは限らないという。先輩の作家が後輩の作家に対してすることもあれば、ギャラリーが作家に対してするケースもある。

「日本の美術業界の作家さんは、音楽のアーティストと違って事務所に所属することがなく、作家活動しようとすると否応なくフリーランスになることが多いです。そうすると、誰も守ってくれない弱い立場に置かれてしまいます。私の周囲でも、ハラスメントが起きても『美術業界だから仕方ない』といって、美術という言葉が免罪符になっていることがあります。そうして被害にあった作家さんが泣き寝入りするケースが本当に多いのです。美術業界自体が、すごく狭いブラックボックスになってしまっている状態だと思います。ほかの業界で同じことをしたら、被害者から慰謝料請求されるなど訴訟沙汰になるようなことも少なくありません」

例えば、芸能界でアイドルがサイン会や握手会を開いたら、ファンとの間に適切な距離を保つよう、所属事務所や会場側が配慮する。出版界で小説家がサイン会を開いても同様だろう。万が一、アイドルや小説家の身に危険が及ぶようなことがあれば、警察に通報されることもある。

しかし、美術業界では作家の身を守ってくれる存在はいない。そうした中、飯田さんの取り組みは、少しでも安心して作家が創作活動をおこなえる環境を整えたいという思いから始まった。「くじらのほね」では、2020年10月の画廊オープン以後、大きなトラブルもなく作家たちの企画展が開かれている。

「ストーキングやハラスメントによって、筆を折ってしまう作家さんもいると聞いたことがあります。本当に、せっかくの才能がもったいないです。画廊が作家さんを守るような取り組みが広がってほしいと思っています」

多くの作家は、画廊を通じて活動をする。美術業界に「くじらのほね」のような取り組みが広がれば、ギャラリーストーカーを未然に防ぐことになるだろう。

画廊が弁護士や警察などの関係機関と連携を取ることも考えられる。ある都内のギャラリーのオーナーは、ギャラリーストーカー対策として、近隣の警察署と相談して、つきまといなどの禁止事項をまとめたいと話していた。

被害に遭った先輩作家たちからのアドバイス

ギャラリーストーカーの解決策、打開策を考えるために、最後に実際に被害に遭ったことがある女性作家たちに、どうしたら自衛できるか尋ねてみた。被害者が自衛しなければならない現状には、憤りを感じるが、これから作家活動をしていこうと思っている若い人たちに向けて、彼女たちの言葉を伝えたいと思う。

取材時、都内で展覧会を開いていた女性作家は、「被害者側が気をつけなければいけない状況が悔しいですね」と前置きをしつつ、アドバイスを寄せてくれた。

「連絡先の交換はしないこと、その代わり必要な仕事の連絡は受けられるように、作家活動向けの公式サイトやSNSを開設して逃げられる連絡先を作ることをお勧めします。SNSや電話などプライベートとは切り離すことが割と有効と思います」

「在廊や接客を作家に過度に要求しないギャラリーと付き合った方がいいと思います」

「飲酒を伴う過度なオープニングパーティーの習慣を減らしていけたらいいと思います。（作家一人一人が無駄なパーティーを拒絶していく必要もあるかと思います）」

コロナ禍で長時間、大人数のオープニングパーティーは減ってはいるものの、画廊という狭い空間で、作家と客という対等ではない関係で飲酒すると、つきまといやハラスメントにつながりやすいのだという。

「やはり『納得できない』『了承していない』ことはしないにかぎります」

複数のギャラリーストーカーからつきまとわれた経験を持つもう一人の女性作家は、在廊時の注意点を教えてくれた。

「在廊の際はお客さまと『2人きり』にならないようにする」

「在廊する展示空間では、そばにオーナーさんに居てもらうようにする」

「不審に感じた時はバックヤードに避難するなどの『避難経路』をオーナーさんと相談して決めておく」

画廊のオーナーという第三者がいることで、ギャラリーストーカーからの被害の回避につながり、効果を感じたという。不安を感じたら、画廊にあらかじめ対応を求めておくことが大事だ。

また、ＳＮＳでギャラリーストーカーに遭ってしまうこともある。実際にＳＮＳでストーキングされたことのある別の女性作家は、こう話す。

「会った時の態度や、ＤＭでの会話に違和感を感じたら無理に対応しなくてもよい」

「初対面から馴れ馴れしい人や、違和感を感じる人はＳＮＳで無理にフォローを返さなくてもよい」

彼女によると、ギャラリーストーカーになりやすい人物は、出会った当初から距離の詰め方が異常に早いのだという。ＤＭのやりとりをし始めると途端に、恋人のようにふるまう人もいた。

「少しでも『あれ？』という違和感を感じたときは、たとえ『お客さま』でも無理に返信したり、繋がらなくても大丈夫だと思います。また、最終手段として『フォローを外す』『ブロック』なども意思表示になります。なかなか実行に移すのは怖いのですが、経験として効果がありました」

最後に、彼女はこうアドバイスしてくれた。

「ギャラリーストーカーに出会うのは誰にも予測できず、事故のようなものだと思うようになりました。回避をすることはなかなか難しいのですが、もし出会ってしまったら『決して一人で抱え込まないこと』『すぐにギャラリーの人に相談すること』を強く勧めたいです。事が大きくなる前に、違和感を感じたら周りの人に相談してほしいです」

ここまで、女性作家がギャラリーで遭遇するストーカー被害や客からのハラスメント被害について書いてきた。一方で、美術業界内には、より深刻なハラスメントが横行していることが、作家たちへの取材から明らかになってきた。

立場の弱い若手作家に付け込むのは客だけではない。業界内のキーパーソンである著名作家やキュレーター、有名美術館の学芸員など、圧倒的に権力がある人々からのハラスメントは、客につきまとわれる比ではない。業界が狭いだけに、被害者が泣き寝入りになるケースが多く、さらに深刻なのだ。

ギャラリーストーカーの問題は氷山の一角に過ぎず、水面下をのぞくとさらに暗い、底の知れない問題が横たわっていたのだ。

次章からは、若手作家たちが業界関係者から受けた被害を詳述する。それとともに、ハラスメントの温床となりやすい美術業界の構造的な問題を解き明かしてゆきたい。

第3章

美術業界の権力者による性被害の実態

憧れの著名美術家が豹変する

ギャラリーストーカーは美術業界の問題ではあるものの、加害者の多くは美術業界の「外側」にいる人たちだ。若い女性作家たちにとって、彼らが厄介な存在であることは間違いないが、美術業界の「内側」にいる人たちはさらなる脅威になる危険がある。

特に、著名作家やキュレーター、有名美術館の学芸員は、若手作家の成功を左右する業界内部のキーパーソンである。若手作家は、こうした業界内の権力者からハラスメントを受けることがある。そして、ハラスメントを受けた作家は一生の傷を負うことも少なくない。その中には壮絶な性暴力も含まれており、取材しながら何度も言葉を失った。

美術業界は狭い。セクハラや性暴力を受けたとしても、業界内で権力を持つ加害者は圧倒的に強い立場であり、自分の作家としての未来を考えれば、若手作家は「泣き寝入り」せざるを得ない。これから紹介するのは、そうした女性作家たちが抱えてきた凄《すさ》まじい痛みである。

「人間じゃない。人間の顔をした化け物でした」

声を震わせて告白するのは、20代の画家、山崎志穂さん（仮名）だ。

美術業界で横行するハラスメントの取材を進める中、山崎さんと出会った。山崎さんは、2年にわたり、著名な男性美術家であるD氏から悪質なセクハラやモラハラを受けてきた。

「誰にも相談できず、日常生活や創作活動にも支障が出て、死ぬことすら考えました」

そう話す山崎さんは、痩せて、ひどく憔悴《しょうすい》しているように見えた。それでも、一つ一つ丁寧に言葉を選びながら、自身に起きたことを語ってくれた。

D氏はメディアに度々登場し、有名なテレビ番組でもフォーカスされるような著名な美術家だ。彼が美術について語る番組を、私も視聴したことがある。いかにも才気あふれる美術家でありながら、ストイックに芸術を追究する真摯な姿勢に感動した。

そんなD氏と、駆け出しの画家である山崎さんが知り合ったのは、SNSがきっかけだった。

2020年春、新型コロナウイルスの感染拡大で展覧会の中止が相次ぐ中、発表の場を失って苦境に立たされる作家が少なくなかった。作家はフリーランスが多く、作品が売れなければ生活ができない。

そんなとき、D氏が山崎さんのアカウントをフォローし、突然メッセージを送ってきた。

「コロナで展覧会がなくなっている人が多いので、声をかけさせてもらっています。何か困っていることはありませんか。画廊も紹介できます」

作家としてD氏に憧れていた山崎さんは、その心遣いを喜んだ。

「その時は、すごい方にフォローしてもらえて、嬉しいと思いました。私の作品もみてくれていて、感想も送ってくれました」

D氏に好感を持った山崎さん。メッセージのやりとりが始まった。山崎さんは美術業界でのノウハウを教えてくれるD氏に対して、先生や父親のような尊敬の念を抱いていた。作家は基本的にフリーランスで活動する。美術業界で導いてくれる先輩作家との出会いは、貴重なチャンスにつながる。コロナ禍で思ったように活動ができず思い悩んでいた山崎さんは、D氏との出会いによって新たな境地が切り開けるような気がして期待でいっぱいになった。

ところが、最初は仕事に関する話題だけだったD氏は、次第にプライベートの話もするようになった。

そんなある日の早朝、いつもとは様子が違うメッセージがD氏から届いた。

「苦しいです。プレッシャーに押し潰されそうで、つらいです。山崎さんに話を聞いてほしい」

山崎さんは、尊敬するD氏が自分に弱さをさらけ出して、頼ってきてくれたことが嬉しかった。できるだけ、力になりたいと思った。Dさんの話を優しく聞き、Dさんが仕事をほめてほしいのだなと感じた時は、心からほめた。

D氏はベテラン作家だ。冷静に考えれば、親子ほども年齢が異なる20代の新人作家に「仕事をほめてもらう」ことを求めるD氏に違和感を感じてもおかしくはない。しかし、山崎さんは

D氏に憧れと好感を持っていたため、その関係性の不均等に気づかなかった。

住んでいる場所が離れていたD氏と山崎さんは、実際に会うことはなく、SNSやメッセンジャーアプリ、電話などでやりとりを重ねた。

「志穂さんて呼んでいいですか？」と優しく問いかけるD氏に、山崎さんはドキドキした。山崎さんが個展を開く時は、画廊にひと抱えもあるような花も贈ってくれた。ある時は教師と生徒のような、ある時は友人以上恋人未満のような関係が続いた。

1年が経ち、山崎さんの住む地域にD氏が仕事で訪れる機会があった。D氏に誘い出された山崎さんは「お茶ぐらいなら」と会うことにした。ところが、コロナ禍の営業時間短縮で、喫茶店は早い時間に閉店してしまった。

「志穂さんにすごく大事な話があるので宿泊しているホテルまできてほしい」

D氏は真剣に語りかけてきた。D氏を信頼していた山崎さんは、ついていくことにした。

ホテルの部屋に入ると、D氏は山崎さんに「好きです。ずっと一緒にいてください」と告白してきた。

しかし次の瞬間、D氏はとんでもないことを言い出した。

「僕は既婚者なんだけど」

D氏が既婚者であることを知らなかった山崎さんは驚愕《きょうがく》した。D氏は言い訳を重ねて迫ろうとした。

「結婚はしてるが、妻のことはもうなんとも思っていないから」

不倫する既婚男性の常套句を口にするD氏。山崎さんは押し倒されそうになったが、一線を越えてはならないと必死に拒否して、ホテルの部屋から逃げた。

その夜から、尊敬する美術家、D氏の化けの皮が剝がれていった。態度ががらりと変わったのだ。

山崎さんがD氏の思う通りに動くと、「いい子だ」「頑張り屋さんだ」とほめてくれた。しかし、山崎さんが少しでも異なる意見を言うと、「性格のここが悪い」「反省文を書け」と怒鳴るようになった。山崎さんが長文の反省文を送るまで、D氏は山崎さんを責め続けた。

D氏の怒りは、些細《ささい》なことで誘発された。D氏のメッセージに返信をせずに、SNSに投稿しているのが見つかると、「僕よりも大事なんですね。僕なんていらないんでしょ。消えますよ」と怒りにまかせた暴言の電話がかかる。

電話に出ないと、「男といるのか?」と詰め寄られ、また罵倒された。

また、ある時には、スマホに1回ではスクロールしきれないほどの長文で、「だからお前はダメなんだ」と、山崎さんの人格を否定するようなメッセージが送られたこともあった。山崎さんがどんなに疲れていても、「ごめんなさい」とすぐに言わねば、D氏の怒りはおさまらなかった。

一方で、D氏は山崎さんに肉体関係を求め続けた。自分の性器の写真や自慰行為の動画を突然、送りつけてくることもあった。それは、D氏にとって何よりも神聖なはずの仕事場で撮影されたものだった。

電話で罵倒され続ける

山崎さんはD氏に怯え、心を蝕まれていった。下手に拒絶すれば、また罵倒されると思い、ひたすら耐えた。

「とにかく、Dさんの機嫌を損ねないよう気を遣い、何かあればすぐに謝っていました」

歪《いびつ》な関係の中、D氏の束縛は激しくなっていった。ある日、D氏は上機嫌で山崎さんに電話をしてきた。

「そうだ、ひらめいた。志穂、一緒の指輪をつけよう。離れ離れでも、志穂はずっと僕のことを思ってほしい」

一緒の指輪とは、ペアリングや結婚指輪のようなものを意味していた。D氏はデパートの宝飾品売り場で指輪のサイズを測ってくるよう、山崎さんに求めた。山崎さんはそんな指輪を指にはめたいとは思えず、断った。すると、D氏は山崎さんを叱りつけてきた。

その数日後、山崎さんの自宅に荷物が届き、同時にD氏から電話があった。

「指輪のサイズを測れるスケールを送ったから、いますぐ開けて、サイズを測って教えて。何号なの？」

山崎さんはできるだけ怒らせないよう、注意深く断った。

「指輪は嬉しいけど、そんな高価なものをいただくわけにはいかないから、気持ちだけで十分です」

しかし、山崎さんの言葉にD氏は怒りを爆発させる。

「僕の指輪はいらないってわけ？」

仕方なくサイズを測って伝えると、D氏の機嫌はころっと良くなった。

当時、山崎さんが恐れていたのは、D氏による妨害だった。

「Dさんは有力な画廊やコレクターなどとコネクションがあることを私にちらつかせて、そんなことを言うならもう紹介してあげないよ、と脅すようなこともしていました。本当につらかったです」

万が一、影響力のあるD氏が、「山崎という画家はろくでもないやつだ」とギャラリストやコレクターに言ってまわったら……。やりかねないと思った。画家として次のステップへと進みたいと考えている山崎さんは、D氏に可能性を潰されたくなかった。

山崎さんはなんとか穏便にD氏と距離をおこうと試みるが、すぐに責められたり、怒鳴られたりする。恐ろしくて、なかなか思うようにはいかなかった。

D氏から肉体関係を迫られ、断ってから3カ月。いろいろな感情に縛られ、傷ついていた山崎さんに、やがて限界が訪れた。

ある日、D氏から紹介された画廊を一人で訪れた山崎さん。画廊のオーナーと話すうちに、D氏がほかの女性作家や画廊の女性スタッフにも声をかけていたことを知った。オーナーから「D氏には気をつけて」と心配され、その場で号泣してしまっていた。

「D氏から逃げなければ」

山崎さんは本気で思うようになった。そんな山崎さんの変化にD氏は気づいた。D氏は再び山崎さんに会おうと言い出し、断ると電話口であの罵倒が始まった。

「これだけしてやったのに薄情なやつだ」

「最初からそんな人間だと思っていた」

D氏は荒れ狂い、罵り続けた。

「ガクガクと全身が震えてしまうぐらい、怖かったです」

声を詰まらせながら、山崎さんは振り返る。積み重なっていた恐怖があふれ、断りきれずに結局、D氏と会うことになった。D氏に逆上されないよう、ほかの客の目があるオープンな雰囲気の店をあえて選んだ。

D氏からのハラスメントから逃れたかった山崎さんだったが、それを追及すれば怒り狂う姿が目に浮かんだ。そのため、D氏には一線を引いた理由として、画廊で聞いた女性関係の話をしたり、既婚者であることを指摘した。すると、D氏は動揺した。

「妻とは離婚して、志穂と結婚する」

D氏は罵倒していた時とは人が変わったように優しく、ご機嫌をとるような態度になった。本当の理由は、D氏からハラスメントを受けていたことだったが、D氏は気づいてないようだった。

その日はなし崩し的に話は終わり、D氏はその後も山崎さんに連絡を取り続けた。そんなある時、疲弊しきっていた山崎さんは深夜に届いたD氏からのメッセージを無視した。返事をする気力も体力もなかった。

翌日、D氏からすぐに電話があった。また罵倒の嵐が吹き荒れた。

「あなた、僕のことバカにしてますよね。あなたは僕のキャリアに嫉妬してるのでしょう。反省してください」

D氏の怒りはおさまらなかった。最後には「もう、あなたのことはいらないから」と暴言を吐いた。山崎さんの中で何かが壊れた。

「Dさんとは健全な関係とは言えませんでしたが、作家として尊敬していた人でした。でも、もう自分はいらない存在なのか、自分はもう死んだらいいんじゃないかと毎日、フラッシュバックに苦しみました」

思い出したくないのに、D氏の罵倒する声が頭の中で何度もよみがえった。情緒不安定になり、涙が止まらなくなった。

「D氏は今もなんら傷つくことなく、のうのうと暮らしている」。絶望のあまり、自死したい衝動にかられた。それが毎日、何カ月も続いた。

日常生活だけでなく、創作活動にも支障をきたすようになり、筆もとれない状態になった。画家生命も風前の灯《ともしび》となっていた。

山崎さんをさらに傷つけ苦しめたのは、D氏が所有していた山崎さんの作品を捨てていたことだ。山崎さんは、独自の世界観を持つ繊細な作品をつくる。決して大きな作品ではないが、一筆一筆に心血を注いで創作されたもので、山崎さんは我が子のように大切に思っている。しかし、最後の電話で、D氏は「あなたの絵は、段ボールに梱包したまま、一回も見ないで捨てた」と言い放った。

「Dさんはインタビューで、命をかけて創作をしているとよく答えているのですが、そんな人があっさり他人の作品を捨てたことが信じられませんでした」

D氏は山崎さんとの連絡も断ち、SNSのフォローも外して消えた。しかし、山崎さんが負った傷は消えることはない。

一時期、山崎さんはD氏に対して法的措置も考えたが、悩んだ末に断念した。裁判をするには、時間や費用など予想以上のコストがかかる。相手が自分勝手な反論をしてきたら、再び傷つくこともある。裁判のことがメディアやSNSで暴露され、被害者に非があるようにバッシングされることも少なくない。満身創痍《そうい》の山崎さんの負担を考えれば、裁判をしないという選択はベターなものだったと思える。

「ハラスメントをしても『すごい作品をつくる作家だから』と許されてしまっています。でも、ハラスメントで受けた傷は人を蝕んでいきます。心の傷が原因で、筆を折る人もいます。こんなハラスメントで心が壊れることがないような美術業界になってほしいです」

山崎さんの心からの願いだ。

打算があるから被害を訴えられない

山崎さんの受けたハラスメントは、美術業界の大先輩作家から受けたものだった。後に詳述するが、美術業界のジェンダーバランスは男性優位に偏っている。そのため、若手作家、特に女性は優位な立場にある男性からハラスメントを受けやすい。

20代の作家、佐倉みずほさん（仮名）は今、そうしたハラスメントや性暴力、ストーキングを受けた被害者たちの支援活動をしている。多くが、20代の女性作家だ。

彼女たちは被害者にもかかわらず、「自分が相手に勘違いをさせてしまったのではないか」と自分を責めることが多い。佐倉さん自身も、同じように自分を責めて、長らく誰にも打ち明けられなかった経験がある。

佐倉さんは地方から都内の美大に進学した。美大受験のため、一時期、都内の予備校に通っていたが、多くが美術系の都立高校の生徒ばかりで、佐倉さんは男性講師から常に差別され、蔑まれていた。

理由は佐倉さんが、地方出身者だから。男性講師は、ことあるごとに佐倉さんをバカにした。

「地方には文化がない。だから、お前は映画や美術、音楽を知らないバカだ」

当時は自分でも気づいていなかったが、若かった佐倉さんの心に大きな傷跡を残し、自己評価は限りなく低くなった。

「自分は何も知らない」と思い込まされていた佐倉さんは、美大に入学してから、いろいろなことを貪欲に吸収しようとした。

「できるだけ学外の作家さんの現場に行き、設営や撮影のお手伝いをしながら、いろいろなことを学ぼうとしていました」

しかし、現場では佐倉さんが一番の若手。作家や先輩にこき使われ、食事の時間もとってもらえない。バイト代も出ないことがあった。

飲み会になれば「女の子」としてお酌をさせられ、男性たちが「ジェンダーとかフェミニズムとか、しんどいよな〜」と女性作家の活動をバカ笑いしているのを、耐えて聞いていた。

そうした現場で、佐倉さんはある30代の男性作家と知り合いになった。佐倉さんがまだ19歳のころだ。地方から上京したばかりで、自分が未熟であると考えていた佐倉さんは、とにかく美術業界での経験を積み、人脈を広めようとして、男性作家の持つ現場に飛び込んだ。

男性作家は10歳以上も年齢が離れた大先輩であり、美術業界で導いてくれると信じた。そんな尊敬のなかで、男性作家から性的な関係を求められ、一線を越えられた時、佐倉さんは拒絶できずにフリーズしてしまった。

「頭が真っ白になって、嫌だという気持ちと、でも今断ったら怖いという気持ちになりました。その後、断らなかった合理的な理由をずっと考えていました。たとえば、断らなければこの現場で活動を続けていけるんだとか。自分を騙《だま》していたのだと思います」

それから佐倉さんが悩んだのは、「自分が何かを間違って、相手を勘違いさせてしまったのではないか」ということだった。

「当時は、今よりもっと性被害についての知識や情報が少なかったので、自分が被害を受けていることにも気づいてませんでしたし、他の人たちも同じような被害に遭っていることも知りませんでした。特殊な例だと思い込んでいました」

男性作家からの性被害は2年間、続いた。その間も、きちんと交際を求められることはなく、性的関係だけを求められた。

なぜ、男性作家から離れようと思わなかったのか。

「嫌ですとはっきり言えない中に、男性作家との仕事を利用して、美術業界で活躍していきたいという打算がありました。だから、自分も悪いと思ってしまうし、他の誰かに言えないんです。同じような被害に遭った作家さんたちも私もそうなのですが、若ければ若いほど、世に出る機会を得たい、活動を続けていきたいという思いが強いほど、断れない」

佐倉さんもこの被害を、これまでほとんど誰にも告げたことはない。

しかし、責任を問われるとしたら、そうした若手作家の気持ちや弱い立場につけ込んで、性的関係を求める人間である。

「私が支援活動で知った被害は、加害者は業界内で権力のある人だったり、年上で立場も上の人だったりします。今まで聞いたケースだとすべて男性でした。自分より上の立場の人から被害を受けた時には、多くの人がフリーズするし、合理的な判断もできません。悪いのは、被害者ではなく加害者です」

多くの地獄を体験し、見聞きしてきた佐倉さんは今、そう考えている。

著名なキュレーターが展覧会開催と引き換えに

「僕なら有力な批評家やコレクターを呼んであげられる」

当時、地方の大学院で絵を学んでいた坂田真帆さん（仮名）は、著名なキュレーターの男性から告げられた言葉を、今でもよく覚えている。男性は、美術業界であれば知らない人はいないほどのビッグネームだ。

現在は作家として活躍する坂田さん（30代）は、この後に起きたことを誰にも話したことはない。取材で初めて打ち明けてくれたという。

その頃、男性は坂田さんが在学していた大学院に教えにきていた。坂田さんはまもなく大学院を修了して、作家として独り立ちしようという時だった。

「当時私は、発表の場を東京に持ちたいという思いが強くなっていた頃で、どうしたらチャンスがつかめるか、同級生たちと先生に相談をしに行きました。そうしたら、先生は有名な美術館や美術家の名前を挙げて、そこで活躍しているというすごいキラキラした世界の話をされて、本当にすごいなと思いました」

男性は海外で開かれる有名な国際美術展にキュレーターとして度々参加していた。世界的に知られた美術家やキュレーターたちと親しく付き合いながら、一流の仕事をする。男性の語る華やかな美術業界は、若い作家にとってどれほどまぶしいものだったか、容易に想像がつく。

まだ20代で、これから作家としてのキャリアを積むにはどうしたらよいのか、真剣に悩んでいた坂田さんに、男性は少しずつ近づいていきた。

最初は、学生たちのグループ展を東京で開いてくれるという話だった。坂田さんは、男性に自分の作品について話しているうちに、一対一で食事やドライブに誘われるようになっていった。

「自分としても、美術業界の面白い話が聞けるし、有名なキュレーターの人に気に入られていることが嬉しかったです。ただ、特別な感情はなく、ちょっと仲の良い先生、ぐらいに思っていました」

今思えば、坂田さんは大学院生とはいえまだ学生であり、教員でもあった男性はこうした行為だけでもセクハラにあたるといわれても仕方ない。ところが、男性の行為はエスカレートしていった。

最初は軽いボディタッチ。頭をなでられたり、写真を撮る時に肩を組んできたり。ちょっと気になり、ボディタッチが多いことを指摘すると、男性は悪びれずに「僕は海外で仕事をするから、日本人とスキンシップが違うんだ」と言った。

坂田さんは大学院を修了してから本格的に作家活動をスタートさせ、男性も大学を離れてそれまでのように顔を合わせる機会はなくなった。しかし、しばらく経ってから、男性は坂田さんの作品を購入していたこともあり、坂田さんが住む地域に出張で来る際に、会うことになった。

「私も久しぶりに色々と話を聞きたいと思って会いに行きました。何回かそういうことが続いたあと、作家としてステップアップしたいと相談したら、展示を組んであげるよと言ってくれたんです。僕はお前のお父さんみたいなものだからと言ってました」

男性は国際的に活躍するキュレーターでもあり、美術業界での権威でもあった。そんな人物が自ら展覧会を企画してくれると言ってくれたら、若い作家であれば、誰でも嬉しいだろう。坂田さんも当然、喜んだ。

その後、具体的に展示の相談をするため、一対一で会うことがまた増えていったが、呼び出される場所がカフェやレストランではなく、ホテルのバーになっていったという。

「自分は忙しいから、ホテルじゃないと時間が取れない」

男性の説明を、坂田さんは心のどこかでおかしいなと思いつつ、会いに行った。

「展示の企画も進んでいるし、話さないといけないことがあったので、言われた通りにしていました。実際にとても忙しい人ではあるので、仕方ないかなと思いました」

ある時、男性は「けがしているから、会うなら部屋がいい」と言い出した。坂田さんは悩んだが、付き合っている男性もいなかったし、相手は親子ほど年が離れた既婚者で、けがもしているのだからと思い、部屋を訪ねていった。

「今にして思えば、甘かったと思います。けがも全然大したことはなくて。部屋で色々と話しているうちに、キスをされてしまい、うわーと思ったのですが、あとはもう流れでした」

そこで坂田さんが真っ先に考えたことは　男性が進めていた展示のことだった。

「もし私がここで拒否したら、展示の企画が全部なくなってしまうのではないかと思いました。深く考えないようにして、もういいやと……」

坂田さんはこれまで以上に、寝食も忘れて制作に取り組んでいった。展示の企画は坂田さんにとって、男性が垣間見せた《かいまみ》キラキラした世界への切符だった。それも、鈍行ではなく、一気に目的地へ到着する特急だ。

男性が一声かければ、企画展には有名な美術評論家やメディア関係者らが駆けつけるはずだ。華やかなオープニングを想像した。

男性を生理的に受け付けない気持ちもあったが、夢の切符のために思考を止めた。

一度、一線を越えてしまうと、男性の態度はもっと図々しくあからさまになっていった。

「もう無理だなと思いました。気持ち悪いし、理由をあれこれつけて誘いを断るようにしました。展示の相談だったら会う必要はない、電話でもメールでもできるはずだと思って」

すると、男性の態度がおかしくなっていった。「お前は絶対に結婚するな」とか、「そんな態度では、作家としてはやっていけない」などの暴言を坂田さんにぶつけるようになった。

耐えかねた坂田さんが、はっきりと拒絶すると、「もうわかった」と言われて、携帯は着信拒否にされ、LINEもブロックされた。展示の相談はもうできなくなってしまった。

「そのあと、なんとか展示はできたのですが、その人が呼んでくれると言っていた、評論家やコレクターは一切、来てくれませんでした」

ただ、坂田さんは自分が被害に遭ったというよりも、誘惑に負けてしまったという思いが強いという。

「自分でも、打算的だったと思います。作家としてステップアップするには、著名な評論家に評価されたり、有力なコレクターに購入してもらうことがとても重要です。私は特に地方の学生だったので、それまで知らなかった美術のキラキラした世界を見せられて、その世界へのコネクションを持っている人からの誘いに乗ってしまいました。コンペの審査員もされているので、断ったら作家としてやっていけなくなるのでは、という恐怖感もありました。でも、その人との関係ありきの作家になるのはダメだと思ったんです」

これまで、坂田さんはこの話を誰にも伝えられなかった。

「展示のためにそういうことをしてしまった自分が恥ずかしかった。ただ、一方的に被害に遭ったとは思っていません」

坂田さんは、最後にこうきっぱりと言った。

有名美術館の学芸員の手口

2年に1度、イタリアのヴェネチアは世界の美術や建築の聖地となる。120年以上にわたって開かれている権威ある国際展、ヴェネチア・ビエンナーレ。万国博覧会のように、国ごとにパビリオンを構え、2年ごとに美術展と建築展が開催されて、国を代表する美術や建築を一度に堪能することができる。世界中から一線で活躍する作家やキュレーター、評論家、コレクターなど美術関係者が集うことでも知られる。

ドイツに留学して美術を学んでいる20代大学生で作家の永山郁美さん（仮名）も、2019年に開催されるヴェネチア・ビエンナーレ美術展に行く計画を立てていた。

「ただ、ビエンナーレ開催中のヴェネチアは宿代がとても高くて、どうしようか悩んでいました」

そこに声をかけてくれたのが、SNSで知り合った公立美術館の男性学芸員だった。

「ヴェネチア・ビエンナーレに行くのは、作家としての仕事だと思うし、同じ部屋で別のベッドでよければ宿代は出すよ」

永山さんは、同じ部屋にいたからといって、性行為に同意しているとは思わないという自分の考えを男性に伝えた。男性もそれに同意し、ツインを予約すると言ってくれたので、永山さんは「大丈夫」と判断して、ありがたく申し出を受けることにした。

しかし、永山さんはホテルに到着して愕然とする。チェックインして部屋をみたら、大きなベッドが一つ、あるだけだった。

「ホテルの手違いだと思うから、部屋を変えるよう、フロントに伝えてください」

永山さんは男性に言ったが、なぜか渋り始めた。

「繁忙期だから、部屋が残っているかどうかわからない」

「でも、ホテルのミスだと思うから聞いてみてください」

それでも、問い合わせをしようとしない男性。押し問答のうちに険悪な空気になっていった。

「いま思えば、よくある手口ですよね。その時は、ホテル代を出してもらっている以上、彼の機嫌を損ねたくないと思い、あきらめました」

仕方なく、同じベッドの端で寝ることにした永山さん。2泊目の夜、恐れていたことが起きた。深夜から明け方にかけて、男性は寝ている永山さんの体を触ってきたのだ。永山さんは、寝たふりをして体を丸めた。

「彼の勤め先は、現代アートでも著名な美術館で、人間関係を壊すことで自分からパイプを断ち切ることがとても怖かった。絶対に揉《も》めごとにはしたくなかったので、彼に背を向けて体を小さく閉じて、寝たふりをしました」

しばらく体をべたべたと触られていたが、そのうちシャッター音が聞こえてきた。

「撮影されている?」

警戒した永山さんは、さらに体をぎゅっと閉じた。

やがて男性はそれ以上の行為を諦め、シャワーを浴びに行った。永山さんが急いで男性のカメラを確認すると、ベッドにいる永山さんの写真が記録されていた。

永山さんは男性がシャワーから戻ってこないうちに、急いですべての写真を削除した。

「そのあと、彼に思いきって写真を撮っていなかったか聞いたのですが、否定されました。ああ、嘘をつく人なんだなとがっかりしました。もし恋愛関係になりたいのであれば、寝込みを襲うということはないと思います。私はキュレーターと作家は対等の立場だと思っていますが、彼は普段からキュレーターの方が権力があると豪語しているような人でした」

男性とヴェネチアで別れ、永山さんはドイツに戻ったが、その後、男性が同じような行為を美術関係の女性に繰り返しているということを友人から聞き、現在は距離を置いている。

男性が勤めている美術館は、職員の体制もジェンダーバランスが配慮されている。ジェンダーをテーマにした展覧会を企画することもあり、高い評価を得ている。彼の行動は、そうした美術館に対する信頼を著しく損ねるものではないだろうか。

実は、永山さんが美術関係者から性被害を受けたのはこれが初めてではなかった。

永山さんは留学前、大学の男性教員からレイプ未遂の暴力を受けたことがあった。

あるギャラリーで開かれたトークイベントを聞きに行った際、登壇していた男性教員と知り合いになった。男性教員は都内の女子大で講師をしており、永山さんに「どんなことを学びたいのか、教えてほしい」と言って相談にのるそぶりをみせた。

後日、永山さんは男性教員と食事に行き、お酒も飲んでいた。終電の時間が近づいてきたので、帰ろうとしたところ、男性教員がごね始めた。

「まだ時間はあるから大丈夫。もし終電に間に合わなくても、タクシー代は出すから」

断っても断っても、男性教員は納得しない。あまりにしつこく、身の危険を感じ始めた永山さんはその場を離れようとした。その次の瞬間、男性教員は突然、永山さんのお腹《なか》を殴った。

殴られたショックで混乱する中、永山さんはその男性教員にホテルへ連れ込まれてしまった。

永山さんはホテルの部屋で、必死に男性教員から逃げ回り、翌朝、警察へ駆け込んだ。

「本当に怖かったし、辛《つら》かったので、警察に行って被害を訴えたのですが、証拠はその人との

LINEしか残っていませんでした。私も酔っていたし、殴られて混乱していたので、ホテルの場所もよく覚えていなかったこともあり、それ以上は何もできず終わってしまいました」

永山さんは自分を責めた。

「彼の誘いに乗って会いに行ったのが悪かったのではないか、断れなかった自分が悪かったのではないか。思い出すたびにしんどくなりました。自分がすごく汚く思えて、皮が擦《す》り切れるまで手を洗うことをやめられませんでした」

それに比べれば、ヴェネチア・ビエンナーレで起きたことは「まし」だと思えたという。ただ、ドイツに帰国してから、相手が女性であっても、誰かと同室で眠ることができなくなってしまった。永山さんは日本で活動している間、様々なハラスメントを経験した。そして、日本の美術業界は、ハラスメントに対する意識が極端に低いのではないか——と疑っている。

永山さんは高校の頃からドイツの美術に憧れ、20歳から尊敬する教授が教鞭をとる大学に留学している。幸い、周囲ではハラスメントを見たことがないし、されたこともない。

今はハラスメントばかりに遭っていた日本の美術界を離れ、異国の空の下で自分の夢へと向かっている。

学芸員に作品を蹴られる

ある公立美術館で、20代の作家、岡崎真子さん（仮名）は圧倒的な権力によるハラスメントの洗礼を受けた。

これまで見てきたようなセクハラや性暴力ではないが、作家にとっては美術館という美術業界の「聖域」で行われたものであり、私たちが訪れる美術館の「裏の顔」が見える例として紹介したい。

当時、まだ美大の4年生だった岡崎さんは、公立美術館の展示会場で、信じられないような光景を目にした。卒業制作展の準備をその公立美術館で進めていた時のことだ。

作品を搬入して、翌日から展示というタイミングで、美術館の学芸員たちが会場でざわつき始めた。そのうち、学芸員の一人が「この展示方法では、消防法的に許可できない」と岡崎さんに言ってきた。

岡崎さんは何カ月も前から展示の準備をしてきた。作品にどのような素材を使うのか、作品はどの程度の大きさになるのか、大学の指導教員とともに、かなり詳しく記した展示計画を作り、事前に提出して展示の許可を得ていたはずだった。

ところが、美術館側は頑《かたく》なだった。

「書類ではわからなかった。展示方法を変えないのであれば、絶対に許可できない」

教員と岡崎さんは懸命に説得したが、学芸員は「変えないのなら、片付けて」と有無を言わさない口調で言ってきた。学生だった岡崎さんは、その高圧的な態度に驚き、何も言えなくなってしまった。

「本当に消防法で問題があるのであれば、搬入日より前にこちらに確認することもできたはずです」と、岡崎さんは悔しそうにふりかえる。

美術館側の確認ミスだったが、大学や岡崎さんに対して、謝罪の言葉は一切ないどころか、その非を岡崎さんになすりつけてきた。

仕方なく、岡崎さんは展示方法を変えざるを得なかったが、さらにショックだったのが、職員の一人が、岡崎さんの作品を、目の前で蹴ったことだった。

「これ、本当に展示して大丈夫か?」

職員は安全確認をしていたつもりだったのだろうが、仮にも美術館の職員が、学生といえども作家の前でその作品を蹴ることが、許されるのだろうか。相手がもしもベテランの男性作家だったら、絶対に同じような態度を取ることはなかったはずだ。

自分の作品が足蹴にされるのを見て、岡崎さんは耐えきれなくなり、その場で涙があふれたという。

その後、ハラスメントの現場に居合わせた別の学生が、SNSに美術館の職員にされたことをそのまま書いた。ところが、今度は大学側がその投稿を「消してほしい」と言ってきた。「大学として、ここで美術館との間で問題が起きたら、展示をさせてもらえなくなる。今後、作家として活動するあなたのためにも、消してほしい」

作品を選び、作家を評価する美術館という権力には、抗《あらが》えなかった。岡崎さんは投稿した学生に消してもらったが、ハラスメントを受けた傷は今でも消えていない。

美術業界において、学生や若手作家の立場は弱い。彼らは、大学の教員や美術館の学芸員、審査員、批評家たちから、作品や活動を評価されることは絶対に免れない。圧倒的な力関係の中で、ハラスメントを受けるケースが後を絶たないのも、この美術業界の大きな特徴といえる。

この美術業界のハラスメント体質は、大学卒業したてで、立場の弱い若手作家が誰の助けも得られず、誰からも守られないことによるものだと、私は考えていた。

確かにそうした側面もあるが、さらに取材を進めると、美術業界のハラスメント体質は、そもそも美術の教育現場にその原因の一端があることも見えてきた。次章では、東京藝大をはじめとする美術家の卵を育てる教育現場の特殊な実態をレポートする。

第4章

教育現場で横行するハラスメント

東京藝大の新歓で「一発芸」

ここまで、美術業界で権力を握る美術家やキュレーター、学芸員による、女性作家に対する壮絶なセクハラや性暴力の実態を見てきた。優位な立場や業界内の権力にものを言わせて、弱い立場の女性を意のままにしようとする男性たち。女性作家たちの話からは、狭い世界での出来事なので、多くの場合、立場が弱い若手作家が泣き寝入りして終わりになっている実態が浮かびあがった。加害者たちは何の反省もなく、同じような行為をずっと繰り返していることもうかがえる。

さらに、私が気になったのは、そうした作家たちの中には、学生時代から同じ大学の先輩や教員らからハラスメントを受けているケースも少なくないということだ。美術業界に人材を輩出してきた芸術大学や美術大学と呼ばれる専門の教育機関において、である。

美術の教育現場のハラスメントを掘り下げていくと、根底には極端に偏ったジェンダーバランスがあり、それゆえに延々と男性にとって都合がいい価値観が再生産され続けてきたのではないかと疑われる、歪な構造も浮かび上がるのだ。

日本最難関といわれる東京藝術大学。中でも美術学部絵画科油画専攻の2022年の入試倍率は17・3倍と、難関大学の最高峰を誇る。一浪や二浪は当たり前、三浪という人も珍しくはない。

「東大に受かるより難しい」といわれるゆえんだ。

毎年4月になると、東京・上野にある東京藝大のキャンパスには、そんな過酷な入試を突破してきた芸術家の卵たちが期待を胸に集まってくる。美術学部彫刻科に入学した上原真理恵さん（仮名）もそうした新入生の一人だった。

厳しい受験を勝ち抜き、これからは国内随一の大学、素晴らしい環境で彫刻に没頭できる。上原さんは大学生活を楽しみにしていた。しかし、その期待はスタートから裏切られる。

東京国立博物館をはじめ、国立西洋美術館や東京都美術館、上野の森美術館など、錚々《そうそう》たるミュージアムが集積する上野の一角に、東京藝大のキャンパスがある。日本近代洋画の巨匠と呼ばれ、東京藝大の前身である東京美術学校の指導者でもあった黒田清輝《せいき》の記念館に近接しており、道を挟んだ両側に、美術学部と音楽学部がそれぞれ位置している。

美術学部構内の最奥にあるのが、「彫刻棟」と呼ばれる彫刻科の建物。彫刻科では毎年20人の1年生を迎えるが、学科を挙げての恒例行事としておこなわれているのが、新入生歓迎会だ。

「今はコロナで中止されていますが、それまでは毎年ありました。それがすごいテリブルで……」

上原さんは取材時、まだ20代。たった数年前の新歓で新入生だった上原さんの心を打ち砕いた「テリブル」（酷い）なこととは何だったのだろうか。

彫刻棟にはアトリエが備えられており、体育館のように天井が高く、大型の彫刻でも設置できるようなスペースになっている。普段は仕切りがあるが、新歓のときはそれを取っ払い、学生らが全員入れるように空間がセットされる。

アトリエの前方にはステージが用意され、教授陣には「観覧席」が設けられ、学生たちはステージと教授たちの間に置かれた低いテーブルの前に座るというスタイルがお決まりなのだという。

新入生を迎えるための会に、なぜステージがあるのか。

「彫刻科の新歓では毎年、新入生は全員、一発芸をしないといけないんです。一発芸は大体、セクシャルなもので、それも男性が喜ぶようなものです。たとえば、男子学生が音楽に合わせて一枚ずつ着ている服を脱いでいくのですが、服の下に何枚もパンツを履いてたり……。女子学生はレオタードやスクール水着など、できるだけ身体が露出するような衣装を身につけたり、亀甲縛りをした女子学生もいました。ショックでした」

大学生の新歓にふさわしくないワードが飛び出して驚き、思わず「亀甲縛りとは、SMプレイでみるあれですか」と確認してしまった。

「はい。SMのあれです。私たちのときは、グループで一発芸をすることは許されなくて、一人ずつやらされました」

上原さんも、身体のラインがはっきり出るような衣装を着て、モノマネの一発芸を披露させられた。ショックを受ける上原さんに、さらに追い討ちをかけたのは、一発芸のあと、司会をしていた3年の男子学生から、胸のサイズを聞かれたことだった。すでにお酒が入り、酔っていた男子学生の言葉に、多くの学生が笑っていた。

大きな杯で酒を飲まされたことも、上原さんにはつらい記憶だ。当時、一発芸を披露した新入生全員が飲み干さなければならないという「決まり」だった。血縁関係にない者同士が結束を固めるために、「親子杯」や「兄弟杯」をかわすという風習を想起させる。

しかし、そこは教育の場である。強制参加の新歓で、全員が杯をかわす必要は本当にあるのだろうか。

上原さんはその時、未成年だったためあらかじめ水にしてほしいと言ったが、先輩の学生たちが酔っていたため、杯には酒が混じってしまっていた。上原さんは口をつけてから気づいたものの、途中で止めさせてもらえず、我慢して飲み干さなければならなかった。

「とにかく、先生や先輩の前で盛り上げようというマインドしかないんです。今思い出しても、本当に嫌でした」と首を横に振る。

事前に一発芸を断ることはできなかったのだろうか、と疑問を持つが、それも難しかったという。

「藝大や美大を受験するための予備校大手は3つしかありません。浪人生も多いので、学生の間には、入学前から予備校時代にできた上下関係があります。新歓の時には、予備校時代の先輩たちから、こういうのやりなよ、と一発芸の指示が飛んできます。私にも一学年上の先輩から指示がありました。もちろん嬉々《きき》としてやる学生もいますが、多くの新入生が雰囲気に飲まれて、『やりたくないです』と言える空気ではありませんでした。先輩たちは新入生のノリをみて、『あいつら使えるかどうか』という判断をします。それで、その後の評価が決まってしまうので、嫌とは言えないのです」

美術業界の特殊性は、予備校時代からの人間関係が大学でも続き、場合によっては卒業後の作家活動にも影響することにある。作家たちは自由に創作活動をおこない、作品だけで勝負しているというイメージが強いが、実は予備校や大学時代からの人脈で仕事をする場面が少なくない。

特に彫刻は、石材や木材など一人では運べない素材を使うことも多く、学科内では教員や先輩の助けを借りて作業する必要がある。ましてや、彫刻科は一学年20人しかいない。必然的にコミュニケーションは密になってしまう。

「100人とか200人いるような学科であれば、一人欠席しようが誰も気にしないと思うのですが、20人の中の一人だと、『あの子いなかったよね』と言われて、目をつけられてしまいます」

一発芸を断ることで、先輩や同級生たちとの人間関係を壊したり、教授をはじめ学科全員が集まる場を白けさせてしまったりすることを、入学したばかりの新入生がどうしてできるだろうか。

「藝大でもこれか」と落胆した男子学生

他の私立美大で仮面浪人してまで、東京藝大の彫刻科に入学したという30代の男性作家、井川和雄さん（仮名）も、新歓には落胆した記憶がある。

最初、私立美大の彫刻科に入った井川さんは、新歓に参加した。先輩たちとともに5、6人でステージ上に立たされた。すると、いきなり背後から先輩が井川さんのズボンと下着を性器が見えないスレスレまでずりおろした。教授をはじめ、教員や先輩、同級生がいる目の前で、である。

「本当に苦痛でした」

しかし、下半身を露出しただけで終わらなかった。先輩の一人が、井川さんの陰毛をライターで炙ったのだ。その場にいる全員が笑っていた。

後から聞いた話では、その美大の彫刻科の新歓で「伝統芸」とされているものだった。拒否はできなかったのだろうか。井川さんに聞いてみた。

「抵抗できるような雰囲気ではありませんでした。お酒も入っていましたし、全然空気が違っていました。男社会の悪ノリというか、体育会のノリというか……。新一年生も、女性の先輩たちも冷ややかな目でみていました」

井川さんはその後、猛勉強して念願の東京藝大に合格、私立美大を辞めた。東京藝大は目指してきた「最高峰」であり、井川さんはこれから始まる学生生活に期待が高まっていた。

その矢先、開かれたのが彫刻科の新歓だった。井川さんの記憶では、やはり新入生に一発芸をするよう、先輩から通達があった。気になったのは、「水に濡《ぬ》れても良い服装で」という注意があったことだ。

当日、新入生たちは、水着に近い衣装で一発芸をする人が多かった。コンドームをばら撒《ま》いたり、Tバックを履いたり、内容も性的なものが目立った。彼らが芸を披露する度に、水鉄砲を持った先輩たちが奇声を上げながら水をかけていた。

「ああ、濡れても良い格好とは、水着とか露出の多いものを着てこいということだな」

井川さんは気づいてから、嫌な気持ちになったという。井川さん自身は、民族衣装のようなものを着てやり過ごしたが、セクシャルな一発芸を新入生たちがやるのをみて、がっかりした。

「藝大といってもこんなものか。彫刻科はこういうところなのかと、残念に思いました」

上原さんや井川さんたちの体験を聞きながら、私はアニメ化もされた漫画『ブルーピリオド』(講談社)のエピソードを思い出していた。主人公の男子高校生、矢口八虎《やぐちやとら》が東京藝大の油画専攻合格を目標に、美術部や美術予備校のライバルたちと競い合いながら、寝食を忘れて自らの絵と格闘するという物語。作者の山口つばささんが東京藝大の油画に現役合格した経歴を持つことも、話題となった。リアルな体験にもとづいて描かれる、一般の大学入試とはまったく異次元の受験の凄まじさに私も衝撃を受けた一人だ。

この『ブルーピリオド』にも、東京藝大の新歓についてのエピソードがある。八虎が進学した油画専攻の新歓が開かれることになるが、1年生のある女子学生は参加しないという。理由を問われると、「だってうちの新歓って1年生が2年生の前で一発芸しなきゃいけないらしいじゃん……」というのだ。しかも、2年生が1年生の一発芸を「採点」し、つまらなかったら生卵が投げられるらしい……。そんな噂があった。

そこに別の学生が現れ、そういうノリは今は「ドン引き」であり、10年以上前のもので今はもう行われていないと話す。一発芸は強制されないことがわかり、1年生たちは安心して新歓に参加した、というストーリーだった。

参加も自由で一発芸も求められない。当たり前のことではあるが、東京藝大では少し前まで当たり前ではなかったことが『ブルーピリオド』のエピソードからもうかがえる。

大学の新歓や飲み会で、学生がハメを外すことは珍しいことではないし、悪いことでもない。しかし、参加や酒を断れる自由があることと、学科が公式に開く新歓で一発芸や、大きな杯を飲み干すのを強要されることとでは、雲泥の差がある。後者の場合は、社会問題として各大学も注意を呼びかけているアルコールハラスメントや、セクシャルハラスメントにあたる可能性もある。

美術業界の中でも、彫刻の分野は特に「マッチョ」と言われる。

木材や石材など彫刻は使用する素材も大型で、制作現場では強い腕力が求められるからだ。伝統的に女性作家は少ないともされる。たとえば、東京文化財研究所では、『日本美術年鑑』に掲載された物故作家の情報をまとめたデータベースをネット上で公開しているが、これまでに亡くなった彫刻家255人のうち、女性作家は片手に満たない人数であることからも、その傾向はうかがえる(2022年10月現在)。

上原さんは、彫刻の分野が抱えている問題をこう指摘する。

「彫刻は、力仕事が多く、男性の力が必要な作業が多いとされます。どうしても男性優位のコミュニティがあり、女性はその中で立場が弱くなってしまい、ハラスメント行為も見過ごされがちです」

そこに、ハラスメントが生じやすい構造がないか。ハラスメントが起きてしまったときに、被害者、加害者双方に対して必要な対応をとることができるか。再発防止のための対策が立てられるか。あらためて、自問することが必要だろう。

東京藝大からの回答

なお、東京藝大では学内の窓口に加え、２０２１年11月から外部の相談窓口も設置している。東京藝大のホームページによると設置の理由を次のように書いている。

「ハラスメントは大学の秩序を乱し、正常な大学運営を妨げたり、心の健康を害するなど、大学の就学環境全体にさまざまな悪影響を及ぼすことになります。そのため、現行の学内ハラスメント相談員による相談体制に加え、夜間や休日に関わらず、いつでも気軽に相談できる体制づくりによって早期発見・解決を図るため、外部相談窓口を設置することとしました」

彫刻科の新歓で起きた数々の行為を、東京藝大はどうとらえているのか。私は２０２２年７月、東京藝大に対して次のようなメールを送った。

「美術業界のハラスメントを取材する中で、『彫刻科の新入生歓迎会で、ハラスメントを受けた』というお話を複数の美術学部彫刻科卒業生からお伺いいたしました。卒業生たちから、以下のような証言が得られています（いずれも、新型コロナウイルスの問題が起きる前の２０１９年まで行われていた新入生歓迎会においてのことです）。

・新入生歓迎会は新入生は欠席が許されない上、教員や先輩の前で必ず「一発芸」をしなければならなかった。

- 「一発芸」は露出の多い衣装を着ることや、セクシャルなネタをすることが先輩から求められ、新入生は断われるような雰囲気ではなかった。
- 「一発芸」が終わると、盃で酒を飲むよう強要された。

以上になります。誤報を防ぐためにも、以下の点を確認させていただければ幸いです。

- これらは、事実でしょうか。
- もしも事実であるとしたら、セクハラやアルハラなど複数のハラスメントが行われていた可能性がございますが、なぜこのようなことが起きたのか、コメントを頂戴できれば幸いです。
- もし事実であるとしたら、再発防止策など、今後はどうされるのか、お伺いできれば幸いです。

・学内でもしこうしたハラスメントが起きた場合の相談窓口や再発防止の体制について、お教えくださいませ。」

これに対し、東京藝大からは次のような回答を得た。

「本学では、あらゆるハラスメントを防止し快適な教育研究等の確保を目指し、ハラスメントにかかる専門の相談窓口を設けるほか、学外にも相談窓口を設け、学生等からの相談に応じている。ハラスメントの防止に関しては、全学的組織のハラスメント防止対策委員会があり、ハラスメントとしての訴えがあった場合には、申立者等に不利益が発生しないように十分に配慮するとともに、同委員会の審議を通じ、必要に応じてハラスメントの被害救済に関する調査委員会を設け、申立者、相手方及び関係者に別々に事情聴取等を行い事実関係を確認することとなる。

上記相談員、防止対策委員及び調査委員には守秘義務があること、また個人情報に係る案件でもあるため、本件に係る相談の有無等についてのお答えは差し控えさせて頂きたい。

新入生歓迎会の詳細内容については大学では把握していない。しかし、お尋ねのような事案の有無について確認したところ、かなり以前にはメールでの記載に近い内容が行われていたようであるが、昨今の社会の風潮をはじめ、学生からの提案と教員の指導により、コロナ直前には上記のような内容は無くなったと認識している。仮にメールでの記載にあるような事案で学生からの相談があった場合には、上記のような体制の下、事実を確認するとともに、相談窓口教員や管理的立場にある教員等が再発防止に向けた対応を取ることとなる。」

被害者意識が強い加害者

今回、大学で起きたハラスメントの加害者にも取材を試みたが、「お話できることはない」と取材拒否されたり、返信すら得られないことがあった。本当にハラスメントを反省しているのであれば、その言葉を聞かせてほしいと思ったが、かなわなかった。ただ、取材を進める中で、加害者の実態を知る機会があった。

美術業界では、ハラスメント被害に遭ってしまった際の相談窓口が少ない。しかし、特殊な実態を知る弁護士や弁理士、会計士らで構成する非営利の任意団体「Arts and Law」（ＡＬ）では、無料の相談窓口を設け、表現や創作活動を行っている人たちを支援している。

ＡＬ代表理事である藤森純弁護士によると、大学関係者からの相談が多いという。

「たとえばゼミの教授からアカハラを受けたというケースがあります。また、美大の場合は、女子学生が多いのに対して、指導レベルの教員は男性が多いことが一般の大学と比べても特徴的ですので、そのせいか男性教授からセクハラを受けたという女性からのご相談もあります」

大学にはそれぞれ学内にハラスメントの相談窓口は設置されているはずだが、なぜＡＬへ相談するのだろうか。

「学内で相談を受ける教員たちの中には、被害に遭った学生に寄り添ってくれる教員もいるようですが、学内では知られたくない場合があったり、適切な相談相手が見つけられない場合もあったりして、相談しづらいこともあるようです」

しかも、大学卒業後もそうした学生時代から続く人間関係の中でハラスメントが続くケースがある。

「美術業界自体が狭く、たとえば各地で開かれている芸術祭やアートイベントでもそうした人間関係がそのまま継続していて、ハラスメントにつながってしまうことがあるようです」

一方で、訴訟まで行くケースは稀だという。

「相談はしたものの、具体的なアクションまでは起こさないというパターンはあります。ハラスメントは、一対一の時に行われることが多いので客観的な証拠が少ない中で、事実関係をどう証明するのかという観点から慎重な判断を行わざるをえない場合があります。また、バックラッシュや二次加害の懸念もありますので、裁判に踏み切ることは難しいようです」

では、ハラスメントに遭ってしまったらどうしたらよいのか。まずはハラスメントの客観的な証拠を一つでも多く残すことが大事だという。

「録音や録画、ダイレクトメッセージのスクショ（スクリーンショット）などを保存しておくことはすごく大切です。そうすることで、法的な手段をとるにしても、とらないにしても、今後できることの選択肢が増えてきます」

他方、窓口には加害者からも問い合わせがあるという。どのような相談が寄せられているのだろうか。

「SNSで被害者から告発されてしまった、という相談もありますし、被害者から内容証明が届いてしまったのでどうしようか、という相談もあります。色々なご相談がありますが、加害者の場合、お話を聞く限りハラスメントを行っていると思われるような場合でも、ご自分ではハラスメントをしていないという意識の方は一定数います」

事実関係を調べれば、ハラスメントにあたることをしていても、それを自分では認識できない。

「そういう方は、認知の歪みがあるのかもしれません」と藤森弁護士。「むしろ、SNSで告発されて、バッシングを受けてしまったと、被害者意識が強くなっている方もいます」

加害者は被害者から被害を指摘されると「攻撃された」と感じて、自らを被害者だと思い込む。ハラスメントに対する意識がとても低い。

そんな加害者像が、藤森弁護士の話からは伝わってくる。

天才は型破り――という美術界の神話がハラスメントを助長する

そもそも、美術業界はハラスメントに対する意識が希薄なのではないか。美術史をひもといても、そう考えざるを得ない。

というのも、美術の世界で時に、作家が「変わり者」「常識破り」「型破り」であることが「芸術家らしい」「天才」とほめられることが少なくない。欧米の美術史を見れば、あらゆる男性画家の女性遍歴が、「武勇伝」のように書かれている。

世界的にもよく知られている一人は、パブロ・ピカソ（1881〜1973年）だろう。天才芸術家の名をほしいままにしたピカソは、生涯のうち2回結婚したほか、複数の愛人を持っていた。女性遍歴を止めようとしないピカソとの関係に傷つき、疲れた女性たちは少なくない。その一人が、フランソワーズ・ジローだ。

60代に差し掛かったピカソは、21歳の画学生だったジローと出会い、同棲するようになる。当時、ピカソには別居中の妻や複数の愛人がいた。ジローはやがて、ピカソの女性関係に疲れてしまい、自らピカソのもとを去る。いつも女性を捨てているピカソを捨てた唯一の女性と言われている。

そんな彼女の半生は映画化され、日本でも1997年に公開された映画「サバイビング・ピカソ」に描かれている。公開当時、私も映画館で観たが、まさにピカソから「生き延びた」というにふさわしい、壮絶な愛憎劇だった。

いまだ芸術家は「型破り」だというイメージは揺るがない。多少、倫理的に外れた行為があったとしても、作品さえ優れていれば許される傾向があるようだ。

そして、それは学生時代からすでに作られている「常識」であることが、次に紹介する20代の作家、桜井梨沙さん（仮名）の話からうかがえる。都内の美大を卒業した桜井さんが告白する被害は、静かで落ち着いた語り口とは裏腹に、壮絶を極めた。


在学中、桜井さんは学科内の男子学生と交際を始めた。

「私は知識欲が強くて、議論できるような相手を欲していました。彼はソーシャルグッド（社会に対して良い影響を与えるという意味）なことを言うような人で、ジェンダーの問題にも理解があり、そこが魅力的でした」

現代美術は、社会が抱える問題を表現という形で投げかけることがよくある。美術だけに偏るのではなく、ジェンダーの問題を語るなど社会への意識が高い。男子学生はそんな才能あふれる若い美術家にみえた。

しかし、やがて完璧な青年像に綻びが生じはじめる。外面がよかった彼だったが、桜井さんに対して、言葉の暴力をふるうようになった。

「彼は何かのきっかけで自分の感情がマイナスに振れると、激変しました。怒鳴ったり、無視したり。子どもっぽく感情的になりました」

特に酷かったのは、避妊をしてくれないことだった。

「お金がないから、コンドームを買いたくないという理由で、避妊をしてくれませんでした。私も拒否すればよかったのですが、彼の機嫌が悪くなるのがいやで、許してしまっていました」

その結果の望まない妊娠と中絶。

体調が激変して、情緒不安定になって泣いても、彼は「うるさい」と理解を示さなかった。

「命のことなので、しっかり供養したい」と桜井さんが言っても、拒絶された。それから、身体的な暴力も始まった。背中を叩かれ、足蹴にされた。

暴力がエスカレートする中、桜井さんは助けを求められない状態にあった。

「嫉妬深かった彼に、交友関係を制限されていました。女の子の友達でも、『あいつは嫌いだから仲良くするな』と言われて。作品をつくるときも誰かに手伝ってもらうことも許されませんでした。仕方なく彼に手伝いをお願いすると嫌がられ、作品も勝手に壊されたりしました」

桜井さんが受けた暴力は、モラルハラスメントや「デートDV」と呼ばれるものだ。

内閣府男女共同参画局などによると、デートDVについては「精神的な暴力」（大声で怒鳴る・バカにする、交友関係を制限する、無視をする、行動を監視・制限するなど）、「身体的な暴力」（殴る・叩く・蹴る、腕をつかむ・ひねる、髪を引っ張る、物を投げつけるなど）、「性的な暴力」（性行為を強要する、避妊に協力しない、中絶を強要するなど）といった定義がされている。

桜井さんは自分がそうした被害に遭っていることに、最初は気づけなかったという。しかし、ある時にどうしても知人に会う用事があり、なんとか抜け出していった。

知人は、あまりに桜井さんの様子が変わっていたことに気づき、大学の保健管理センターやハラスメントの相談窓口につないでくれた。

「相談窓口から最終的に学科の先生に話が伝わりました。最終段階では私や彼に聞き取り調査があり、彼には退学などの厳しい処分があるものだと思っていました」

桜井さんは、警察にもいろいろな証拠を持って相談に行った。警察では、大学の聞き取り調査がある日など、彼が桜井さんのもとに押しかけてきたり、ストーキング行為をしたりしないか、桜井さんの自宅付近をパトロールしてくれたという。

当時、桜井さんや桜井さんをサポートしていた教員は、彼に対する大学の処分が重くなるとみていた。多くの大学で、暴力行為は厳しく処分されるからだ。

桜井さんは、身の安全は確保したかったが、刑事事件とすることまでは望んでいなかった。「彼もきっと追い込まれているから、なんとか助けてあげてほしいと思っていました」という桜井さんの気持ちを踏みにじるように、彼の代理人を名乗る弁護士から突然、連絡がきた。

「その弁護士は、彼に非があるとは言わず、一方的な示談交渉をしてきました。10万円で、大学への申し立てを取り下げ、今後一切口外しないよう求めてきました。中絶費用にも満たない金額です。自分に都合の良い示談をたかだか10万円という価値にされたことが、子どもの命の重さと比べて考えた時に、本当につらかったです」

桜井さんは限界だった。パニックに陥り、自死寸前まで自分を追い詰めた。自死しようとするまで桜井さんが傷ついていることは彼の耳にも届き、それ以上、示談交渉を求められることはなかった。

結論からいうと、大学は彼を退学処分や停学処分にすることなく、「厳重注意」という比較的軽い処分でこの問題を終息させた。

桜井さんは落胆した。大学側から理由は聞けなかったが、桜井さんは大学の上層部が不祥事をもみ消したとみている。いかにも才能があるようにみえる彼は、大学の教授陣からも受けが良かった。プライベートで多少の「やんちゃ」があっても、作家として嘱望されていたから見逃されたのではないか。桜井さんの話から、私もそんな猜疑心を持ってしまう。

彼はそれから何事もなかったように大学院に進学し、最近では若手作家として注目を集め始めているという。

「美大では、アーティストは変人であるべきだと思っている学生が多いです。以前、学内で窃盗を繰り返していた男子学生がいましたが、彼は反省するどころか、自分は他とは違う人間だと考えていたそうです。警察に被害届も出されず、処分もされませんでした。犯罪のようなことをしても、普通の人とは違うから、才能があるから、と許されてしまう空気があります」

桜井さんは今でも、彼に悩まされている。

「彼の名前がどんどん世に出ることに対して、恐怖感があります」

同じ業界にいれば、自然と加害者の名前が目に入ってくる。その度に、心の痛みがよみがえってしまうのだ。

刑事事件として罪を問われる可能性もあるハラスメントでも、加害者は厳しく処分されることなく、ダメージを受けずに美術界で活躍していくケースもある。

若くしてその「成功体験」を得てしまった加害者の行き着く先は、ハラスメントの繰り返しなのではないだろうか。たとえ才能があったとしても、それは他の人の人権や尊厳を踏みにじって良いという免罪符には絶対になり得ないはずだ。

被害者意識も希薄になる美大の特殊事情

加害者は、なぜハラスメントをするのか。

被害者たちの話を聞くと、学生時代からすでにその萌芽《ほうが》はあるようにみえる。若い頃からハラスメントを行うことを咎《とが》められず、見逃されてきた体験が、その後の助長につながっているのではないか。

「美大どころか、ハラスメントは、予備校時代から始まっていると思います」

そう話すのは、東京藝大を卒業した40代男性、鶴田雅哉さん（仮名）だ。鶴田さんは、１９９０年代に首都圏にある予備校に通っていた。

「当時は、ハラスメントやコンプライアンスという言葉もない時代でした。意識がなかったとはいえ、予備校の講師による生徒へのハラスメントは本当にすごかったです」

予備校の講師の多くは、東京藝大の男子学生だった。美術の道を目指す高校生や浪人生にとって、藝大の学生は憧れの存在である。予備校生たちの羨望の眼差《まなざ》しを十分に意識しているのだろう。彼らはやりたい放題だった。

実技指導で生徒の作品が気に入らなければ、絵を設置してあるイーゼルを容赦なく蹴る。自分を憧れの目で見る女子生徒に男女関係を迫る。

鶴田さんとともに学んでいた女子生徒たちは、「憧れの藝大生」の誘いにいとも簡単に乗る。鶴田さんの目には、ほとんどの予備校講師が、なんの躊躇《ちゅうちょ》もなく彼女たちに手を出しているように見えた。

そうして入学した大学では、まず新入生同士で「どこの予備校出身？」という話題になる。どこの高校かではなく、どこの予備校に通い、どのような講師に習っていたかが、その後の人間関係に影響を及ぼすからだ。

「日本の美大受験における予備校のシステムは特殊です。世界ではそういう予備校はほとんどないと思います。予備校に通わないで東京大学に合格する人はまれにいますが、高度な実技が入試で求められる東京藝大に合格するには予備校はマストです」

鶴田さんは、そうした美大の受験システムもハラスメントと、無関係ではないとみている。その理由は、日本の特殊な入試事情にあるという。

日本の美大入試では世界には例がないほどの高いデッサン力が求められる。予備校時代から、石膏《せっこう》デッサンだけでなく、ヌードモデルのデッサンも課す。

「母親の裸ぐらいしかリアルで見たことのないような童貞の男子高校生が、いきなり裸の女性を凝視しなくてはなりません。僕も当時、彼女すらいませんでしたので、初めてのヌードデッサンの授業の時は、一週間前から緊張していました」

とはいえ、10代から20代にかけて回数を重ねれば、そうした緊張も緩くなり、「日常化」していく。

「特に男性が女性の裸をテーマにすることはよくあることですし、女性も肌を露出させて自分の身体を使ったパフォーマンスをしたりする人もいます。絵を描くことは、セックスすることだという人もいます。普通に裸の女性が出入りする環境の中で、だんだんエロいことが当たり前のものになっていくんです」

大学入試からそうした意識を植え付けられ、大学ではすでに、男子学生も女子学生も表現を追い求める上で性的なものは身近であり、あけすけな会話も日常的に交わされるようになっていたという。

「それに慣れてしまっていたので、大学を出て一般企業に入社してからは、うっかり性的な話題をふってハラスメントをしてしまわないか、とても気をつけて自分を軌道修正させました」

また、性に奔放であることは、「天才は型破りでもいい」というイメージとも重なる。

「若い頃は、型破りであればあるほどかっこいいと思っていました。映画の『ハチミツとクローバー』って見たことありますか？　伊勢谷友介が天才だけど型破りな男子学生役をやってて、すごいわかるんです。ああいう男子学生、すごく美大っぽくてかっこいいんですよね」

常識に囚われず、思うままに行動する。同時に、ハラスメントやコンプライアンスという意識も持ち合わせない。

「そうした人たちは、ハラスメントをしているという認識がないまま、ハラスメントをしてしまうのだと思います」

予備校時代から大学までつながる、場合によっては卒業後も続く狭い上下関係。表現者であるがゆえに、性的なものに対する抵抗意識は薄い。ハラスメントと裏腹な非常識が許される。そんな美術業界特有の体質が、ハラスメントにつながっていると鶴田さんはみている。

それは、女性たちも例外ではないという。

「自分が被害に遭っても、被害と気づかずに声を上げることもない。一般社会の常識と比較して、美術界の関係者はハラスメントに対する意識が低く、加害者のみならず、被害者もそうした感覚がマヒしやすいのではないでしょうか。セクハラを受けたとしても、自分では性的な魅力を利用したと思っていることがあります。被害者の意識も低い気がします」

また、美術業界に限った話ではないが、自分の性的魅力を利用して利益を得る一部の女性は確かに存在するという。

「確かに、キュレーターや学芸員の愛人になることで、デビューまではこぎつけられるかもしれません。女性側にそういう下心があれば一層、被害には遭いやすくなると思います。ただ、有力者に引き上げてもらえるのは、せいぜいデビューまでです。自分が若い頃は気づきませんでしたが、40歳を過ぎてまわりを見渡せば、ちゃんと実力のある人しか残っていません。若い女性作家がセクハラや性被害を我慢して得た利益があったとしても、一瞬です。美術業界では、優れた作品をつくり続けなければ、評価にはつながりません。若い頃はそれに気づかず、流されてしまうかもしれませんが、長い目で見たら、やはり被害者なのではないでしょうか」

第5章

美術界の異常なジェンダーバランス

「女子学生を教えてるなんて言えない」

ハラスメントの背景には、差別意識が潜んでいることが少なくない。美術業界でも例外ではなく、男尊女卑や女性差別にもとづくハラスメントがみられることが、取材でわかってきた。後述するが、日本の美術界は圧倒的に男性優位の構造が残ったままだ。このせいだろうか。比較的、男女平等を旨とされている教育現場にまで、女性差別の意識が濃厚に残っているようなのだ。

驚くべきことだが、美大にはいまだ女子学生を平然と見下している教員もいるという。

新型コロナウイルスが、一気に感染拡大した2020年春。都内の美大で4年生になったばかりの木内美鈴さん（仮名）は、ブルーな気分に覆われていた。

4年になると、多くの美大生はすぐ卒業制作に着手しなければならない。ところが、大学のキャンパスは閉鎖され、講義やゼミもすべてオンラインになってしまっていた。キャンパスライフが奪われ、外出自粛のムードが蔓延《まんえん》していて、友人と遊びに行くこともできない。大学生のメンタルケアが急務と報道で指摘され始めた頃だ。

いつまでこのコロナ禍が続くのか。誰も未来が見通せない中、木内さんも自分の将来に、言いようのない不安を抱いていた。木内さんは、このままの気持ちでは卒業制作に取りかかることはできないと考えた。

「卒業制作が本格化する前に、本当は何をしたいのか、一度立ち止まって自分と向き合いたいです」

卒業制作についてのオンライン面談で、担当の男性教員（30代）に率直な気持ちを伝えた。

「制作のことを考えたりするのが辛いんだったら、大学辞めれば？」

「美大はそういうことを考えるところじゃん」

耳を疑った。男性教員は突然、暴言をぶつけてきた。悩む学生を指導し、支えるべき教員の言動とは思えない。しかも、他の学生たちも聞いている、グループディスカッションの場だ。

（今、ここでそんなこと言うの？）

驚きのあまり、木内さんは言葉を失った。「制作が嫌だ」と一言も発していない。男性教員にその真意がまったく伝わっていなかったことに、ショックを受けた。

男性教員は学生に厳しいタイプではない。学生の間では、逆に「ゆるい先生」という評判だった。講義の出欠に厳しくない。軽口も叩く。そのため学生には「軽い」「ゆるい」と言われていた。

木内さんは真面目に講義に出席していたが、男性教員からの評価は高くなかった。講義を欠席していても、評価の高い学生もいる。「あの先生は、好き嫌いが激しい」というのが、学生たちの評価でもあった。

男性教員は木内さんにさらに「圧力」をかけてきた。

「卒業制作のコンセプトだけど、それでやるなら成績を下げるし、卒業させるかどうかも、ちょっと考えるわ」

木内さんは絶句した。後で、同級生たちから「さすがにあれは先生の言い過ぎだよ」「木内さん、傷ついたよね」と声をかけられた。

男性教員が圧力をかけてきた理由は、そのコンセプトが男性教員の好みではなかったから。いや、そもそも木内さんのことが好きではなかったから。木内さんはそう考えた。男性教員は日頃、自分好みの作品を制作する学生には高い評価を与えていた。

「俺はアーティストだから」が、男性教員の口癖だった。「海外の大学を出ている」ということもよく自慢していた。一方で、木内さんたち女子学生には、授業の雑談で「女子学生を教えてるなんて言えない。学外では伏せている」と放言していた。

「作家である自分が女子学生を大学で教えているのは恥ずかしい」という意味だった。

「美大は特に女子学生が多いのですが、『女子だから』という理由で、男性の教員からマウンティングされたり、酷いことを言われたりすることは、これまでも見てきました。その男性教員も、普段から『美術をやってる女子』を見下すような言動がありました」

嫌な気持ちを抱えていた木内さんが、男性教員の言動をハラスメントと確信したのは、「大学辞めれば?」と言われた後のことだ。

卒業制作の作品づくりのために学内の工房を借りていた。作業を終えた後、木内さんは使った道具などを元の場所に戻し、室内を丁寧に掃除した。

借りた道具をきれいにして返すのは、木内さんにとっては「当たり前」だったが、研究室に鍵を戻しにいった時に、助手の女性が「さすが木内さん、できる〜。助かるわ!」とほめてくれた。

木内さんも照れながら、「こちらこそ、ありがとうございました」と挨拶して鍵を渡した。和やかな空気が流れる中、そのやりとりを横で聞いていた男性教員が、ぼそっと一言、言い放った。

「できる女って、辛いだけだよね」

木内さんにだけ聞こえるように、である。木内さんは一瞬、何を言われたのかわからなかったが、普段の男性教員の言動からも、「これは完全にハラスメントだ」と感じた。

「できる女、つまり能力のある女性をバカにするような発言は、『できない女』の方が男性から見て可愛気がある、そっちのほうが幸せになれると考えているわけですよね」

この男性教員の言動は、「アカデミックハラスメント」や、「テクスチュアルハラスメント」にあたる可能性がある。前者は、大学や研究機関で、指導的な立場にいる人間が、優位な関係性を利用して、嫌がらせを行い、相手に研究や教育上の不利益をもたらすものだ。近年、社会問題となっており、多くの大学で相談窓口を設置し、その防止に努めている。

後者は聞きなれない言葉だが、作品や作家に対する論評をする際に行われる嫌がらせや、誹謗中傷である。正当な論評と見せかけながら相手を貶《おとし》めることだ。アカデミックハラスメントは大学や研究機関で広く見られるものである一方、テクスチュアルハラスメントは、美術業界など表現に関わる分野でよくみられる。

特に、テクスチュアルハラスメントは、性差別的な言動によって相手を攻撃したり、不利益などを与える「ジェンダーハラスメント」と複合的に生じるとされている。木内さんが受けた被害は、これら複数のハラスメントを内包しているようにみえる。

男性教員の言動を「ハラスメント」ととらえた木内さん。大学が設置している相談窓口に行くことにした。

「本当に教育者としてどうなの、と思いました。どうしてこんな人が先生になってしまったのか。我慢してきましたが、さすがに頭にきましたし、これ以上、他の学生にハラスメントをしてほしくないと思いました」

木内さんはその時、卒業を目前に控えていた。相談を受けた大学側は、木内さんが卒業までに大学教員によって逆恨みされるなどの二次被害を受けないよう配慮し、木内さんの卒業後に男性教員を厳重に注意した。

「処分とともに厳重注意し、今後は再発しないよう注意します」

後日、大学側から木内さんにはこう伝えられた。

木内さんは、大学側の対応に感謝しつつも、美大でのハラスメントの特異性を指摘する。

「美術業界は卒業後も先生と仕事でつながることが少なくないので、ハラスメントを受けたとしても、弱い立場の学生はなかなか言えません。そうすると、美大ではハラスメントが明るみに出ず、ハラスメントをする人がどんどん図に乗って、被害が広がってしまいます。そうした言動は許されないものだと、きちんと大学側にもハラスメントをする側にもわかっていただきたいです」

ハラスメントと徒弟制度

第3章でみてきたセクシャルハラスメント以外に、美術業界で起きているハラスメントには、さまざまな形がある。特徴的なのが、木内さんが受けたようなアカデミックハラスメントやテクスチュアルハラスメントだ。

アカデミックハラスメントは一般的な大学でももちろん、見られる。しかし、美術業界に特有のアカデミックハラスメントもある。具体的にどのようなものか、『「表現の現場」ハラスメント白書2021』から被害の事例を紹介してみたい。

まずは、アカデミックハラスメントから見てみよう。

- 専攻内の教員はある絵画の公募団体に属している者が多数で、その公募展と系統の違う作品を作る生徒は指導を充分に受けられない。（20代、女性、美大生）
- 美大生のとき、教授から作品制作の手伝いをしてほしいと頼まれほぼ毎日（締め切り前は深夜帯まで）無賃で作業を手伝わされました。就活や自身の卒業制作があるため作業量を減らしてほしいとお願いすると、卒業論文の添削をしてもらえなくなりました。（20代、女性、美大生）
- 学生時代、教授から、絵画制作において漫画的な作品は漫画的と言うだけで評価されなかった。直接的に何かされるわけではないが、教授と飲み会に行ったり手伝いをしないと、キチンとした指導をしてもらえない場合があった。教授の意見に反論、反対の作品を作ると成績が下がった。（20代、女性、美術関係者）
- 大学生のとき、課題作品の講評の際に、女性の自立などをコンセプトにした作品を制作したのですが、担当教授2人から作品についてではなく、「男だって大変だ、なんで女ばかりが大変になるんだ」と公の場で責められたこと。（20代、美大生）

美術業界は「徒弟制度」がいまだ残るともいわれている。以前、ある有名な美術家のアトリエを訪ねたことがある。美術家は大型の作品を前に、自ら手は動かさずに数人の弟子たちに色塗りの方法について、指示を出していた。その作品に弟子たちの名前は残らない。あくまで美術家の名前で世に出る。

とはいえ、弟子にもメリットはある。その美術家のもとで技術を学び、美術家に認められれば、美術家のコネクションによってギャラリーで個展を開くなど、デビューへの近道となるのだ。

同じように、大学内においても、教員が作家を兼業していることが多く、教員が「師匠」、学生を「弟子」とする師弟関係が強く、学生にとっては、卒業後の作家活動に強く影響する。たとえば、教員から大学の仕事を紹介してもらったり、アートプロジェクトに参加させてもらったりする。そのため、在学中にハラスメントを受けても相談できずに泣き寝入りすることもあるという。

また、美術業界の場合は、美大と美術業界が不可分の状態にあり、大学でのハラスメントを告発すれば、卒業後に作家として活動した場合への影響がどのように出るかわからないのだ。

先述した木内さんのようにハラスメントをきちんと大学へ訴えることできたのは、卒業後、木内さんの仕事に男性教員との関係が影響しないことがわかっていたからである。

前述の白書は、美大におけるアカデミックハラスメントの背景を、次のように指摘している。

「日本における芸術系教育特有のアカハラは、権力勾配の強い師弟関係が、伝統的工房から教育機関に受け継がれた歴史的背景を考察する必要があるだろう。師弟関係における弟子として従うことが当然という考え方が、そのまま学生を私有化する行為へとつながり、研究テーマの変更や他教員からの指導を抑制する、私的な嫌悪やジェンダーによる偏りのある対応をする、といったアカハラを生む。」

「所詮あなたの作品はお嬢さん芸だから」

私が取材した以外でも、美術業界のハラスメントは枚挙にいとまがない。次に挙げる事例は、『「表現の現場」ハラスメント白書２０２１』に寄せられたものだ。中には、信じがたいような酷いものが含まれている。

- コンペティションで受賞をした際に、受賞を逃した男性作家から遠回しに「あいつは女性だから、ジェンダーバランス枠で受賞したのだ、男性作家は不利だ」というような内容をＳＮＳで書いて拡散されていた。（30代、女性、美術家）

・所詮あなたの作品はお嬢さん芸だから、と言って見てもらえなかった。（30代、女性、美術家）

・女性は感情的だ、制作が安定しない、扱いにくい傾向があるなどと言う話を、一般論としてだが話されたことがあり、不愉快に感じた。性別は関係なくても何か問題が起きた場合に、「これだから女性は」と言うような反応を今でも見かける。（30代、女性、美術家）

・出身大学の大学院を受験した際の面接で、ほとんどの男性教授から「もっと自身の容姿をうまく使って男性を動かして大きな作品を作ったらいい」「男性をうまく使え」など言われ、ある教授からは男性の友人に作品制作の補助を頼んだことを「男に色目を使って制作している」と揶揄《やゆ》された。（20代、女性、美術家）

・今まで毎年していた個展の開催期間に開き（筆者注：インターバルのこと）が生じた時に、「外見が劣化してきたからだ」「作品でなく容姿や若さ込みの評価だ」と言われた。（40代、女性、画家）

・女性は、結婚しておばさんになると若い頃のみずみずしい表現が無くなると、大学の講評で言われた。（30代、女性、美術関係者）
・アートスペース関係者に、飲み会で「君はスタイルが良いからちょっとエロティックな女の子の絵を描けばすぐ完売作家になれるよ」と言われた。（30代、女性、美術家）
・同級生の男性作家に「女の子はいいよね、画家でやっていかなくても結婚すれば旦那さんに養ってもらえるもんね」と言われた。いくら努力しても評価されないんだなという、無力感と嫌悪感を感じた。（30代、女性、美術家）

これらのテクスチュアルハラスメントは、女性に被害が集中していた。彼女たちが投げつけられた言葉からは、「女性だから評価されたのだろう」「女性だから向いてない」「実力がないから男性に手伝ってもらったのだろう」「女性を売りにしている」「女性は経済的に自立しなくてもよい」といった女性差別的な考え方が透けて見えてくる。

その背後には、男性には「男らしさ」、女性には「女らしさ」など性によって固定的な役割を求めたり、性によって差別したりするジェンダーハラスメントが同時に生じているように思えてならない。

もしも、被害者が男性だったら、そんなハラスメントを受けていただろうか。なぜ女性に被害が集中するのか。あるいは、加害する側にはどのような意識があるのか。

まず私たちは、美術業界がどのような「構造」をしているのか、その基層から掘り起こしてみなければならない。

女子学生が多いが、女性教授は少ない美術大学

「美大に女子学生が多い」

男性教授からハラスメントを受けていた木内さんの発言は、決して印象だけにとどまらない。データを見ても、美術の専門教育を受けている学生は男性より女性の方が多いことがわかる。

本来であれば、美大から人材を供給されている美術業界も、そうしたジェンダーバランスに基づき、大学で指導する立場にある教員や、高く評価を受けている作家、著名な批評家などについては女性の割合が多くなっていたとしてもまったく不思議ではない。

しかし、現実は大きく異なる。

「表現の現場調査団」が2022年8月に発表した『ジェンダーバランス白書2022』によると、調査対象となった東京藝大と五美術大（多摩美術大学、武蔵野美術大学、東京造形大学、日本大学芸術学部、女子美術大学）で、女子学生の比率は73・5％と多くを占めていた。文科省

の学校基本調査（2021年度）によると、全国の778校の大学では、学部の女子学生が占める割合は45・6％だったことからも、美大における女子学生の割合が極端に高いことがわかる。

しかし、教授職では男女比率が逆転し、男性が80・8％と大多数だった（2020年時点）。美術系大学法人の最終的な意思決定を行う学長（62校）や、理事長（45校）にいたっては、それぞれ男性が9割以上を占めていた。

こうしたことから、調査団に参加しているアーティストの笠原恵実子さんは、教育機関におけるジェンダーの非対称性について、男性教員から女子学生へのハラスメントを生む背景となっていることを指摘、白書の中で次のように述べている。

「こういったハラスメントの告発や相談は、数少ない女性教員に集中するといった事態を招き、ハラスメントに意識的でない多数派の男性教員たちからのパワーハラスメントへと発展するケースも見受けられる。」

調査団では、このような歪な男女比を抱える日本の美大では、女子学生に不利になる問題が多く、また深刻なハラスメントへと発展するケースも見られ、日本の美術界における表現の自由が脅かされる事態へとつながっていると分析する。

「不利になる問題」とは、「女性として作家になる上でのロールモデルがいない」「ジェンダーに関わる作品に対する無理解」「相談相手がいない」といった例が挙げられている。

「この数値から言えることは、美術系教育機関における女子学生は、ロールモデルとなる女性作家と出会う機会がとても少なく、対して、男子学生はロールモデルとなる男性作家と出会う機会が圧倒的に多いということなのである。このような男性作家を標準的モデルとして構築されている芸術系教育は、当然のことながらジェンダーの不平等性への批評基軸が薄い、もしくは欠落しており、学生たちの多くが卒業後に関わることとなる芸術系産業におけるジェンダー不平等な状況をそのまま受容し、改変されない要因へと繋がるのである。」(笠原さん)

この調査結果で、気になる点があった。男性教授に比べて、女性教授の割合が極端に少ない一方で、実は講師職では女性の割合が男性よりも上回っている大学があった。少し長いが、笠原さんの分析を紹介しよう。

「全役職のデータ公開がされている多摩美術大学を例にとると、教授・准教授・講師を含む常勤教員男性率は77%に対して、助教・助手においては、それぞれ男性率31・5%、40・5%と女性率を下回る。また、非正規雇用である非常勤講師の男性率も、65・8%と、正規雇用である常勤教員のそれを下回る。年齢と役職が低いほど女性率が高く、また正規雇用より非正規雇用の方が女性率が高いのである。同様の傾向は他大学にも顕著であり、武蔵野美術大学の助教・助手の男性率も、それぞれ31・4%、40・8%と女性率を下回る。助手数が不明の東京造形大学及び日大芸術学部の助教男性率はそれぞれ50%、58・3%となり、上層役職より明らかに女性率が高くなる。非常勤講師の男性率は、武蔵野美術大学では常勤教員の男性率82・9%

に対して68・3％（公式ウェブサイトより集計）、東京造形大学では常勤教員の男性率82・6％に対して63・4％となり、非正規の女性雇用が正規のそれより高いことがわかる。」

つまり、上層の役職や常勤教員は男性比率が高く、いつでも雇い止めしやすい不安定な雇用形態にある下層の役職や非常勤講師では、女性比率が高いという傾向があった。その結果、教員側であってもジェンダーバランスの不均等があることがわかった。

政府は男女共同参画基本計画において、２０２０年までに指導的地位に女性が占める割合を30％程度にすることを目標としてきたが、調査団の聞き取り調査で「任期付特任教員」として女性を採用して、全体の女性比率を増やしていると思われる大学もあったという。

調査団では、「女性が美大の中でキャリアを積み、上級の役職にステップアップしづらい現状がある」と指摘している。

ハラスメントを黙認する美大の体質

「美大は、美術業界の権力構造の縮図だなと思いました」

そう話すのは、30代の作家、町山かおるさん（仮名）。最近まで都内の美大で常勤講師を勤めていた。任期だった3年間、学内でのハラスメントをいくつも目撃したことから、美大への信頼が揺らいだという。

きっかけの一つが、学科の男性教授が、客員教授の女性教員に対して、飲み会の場で怒鳴りつけるというハラスメントを間近で見たことだった（町山さんは、被害に遭った女性教員から許可を得た上で、取材にこたえてくれた）。

「本当に突然でした。いきなり、男性教授が女性教員に『自分の大学と、この大学を比べるな！』と怒鳴り始めたんです。確かにお酒が入っていたとは思いますが、怒鳴り方が通常の喧《けん》嘩《か》や説教の域を超えていて、驚きました」

周囲も間に入って止めることもできないまま、男性教授は女性教員を指差し、「お前のことがムカつくんだ」と言い出し、さらに罵倒した。

女性教員は少し前、美術業界で権威ある大学とされている美大でも教え始めた。女性教員がその美大について話し始めたところ、男性教授が怒り始めたのだという。女性教員は反論していたが、「もう一緒に働けません」と言い、席を立ったことでその場は終わった。

問題は、その後だった。

明らかなハラスメントであることを町山さんは問題視していたが、周囲の反応は異なっていた。怒鳴った男性教授は学科内でも権力者だった。そのせいか、現場にいたはずの他の教員たちは、この事件について口をつぐんだ。町山さんは、いつの間にか「唯一の目撃者」とされてしまい、学科内ではこの件をフェードアウトさせたいという雰囲気になっていった。

後日、男性教授は町山さんに「あの時の飲み会ではごめんね。でも酔っていたから全然、覚えてなくて」と言ってきた。

「もうその話は止めましょうという流れになっていました。私も最初は弁護士や大学の窓口に相談したほうがいいと思って、女性教員の方とも話していたのですが、ご本人はとてもショックを受けていらして対応できる状態ではありませんでした」

結局、女性教員は契約期間を終えると、大学を去ってしまった。男性教授が女性教員にハラスメントをした理由は、女性教員が自分の大学よりも権威のある大学で教え始めたことだったのではないかと推察されるが、ハラスメント自体が「なかったこと」とされたため、真相はわからない。

その後、町山さん自身も3年の任期を全うして、講師の仕事を終えた。その間、美術業界や美大が抱える問題を痛感したという。

「講師時代、他にも学科内で別のハラスメントがいくつか起きるのを見ましたが、被害者が声を上げることがとても難しい環境でした。学科内の人間関係はとても狭く、ハラスメントが起きても黙認して、大人として『いなす』ことが求められてしまいます」

何度も触れてきたが、美術業界と美大は不可分の関係にある。美大には作家やキュレーターとして活動する教員も多く、作家として活躍していきたいと考えている学生や若手の教員は、ハラスメントを訴えて「権力者」に睨《にら》まれたくないと考えてしまい、泣き寝入りしてしまうのだ。

「本当におかしいと思います。ハラスメントを訴えた被害者にはリスクしかありません。たとえば、これから就職や大学院への進学を控えた学生が、卒業後の仕事への懸念があったり、成績を握られているという心配があったりしたら、被害を口にすることはとてもできません」

美術の分野では、普遍的な評価軸を定めることはとても難しい。その時代の風潮や流行、そして、大きく左右するのは、評価する側の判断だ。

「伝統的に、評価する側、成績をつける側がとても優位に立てる構造が美術業界にはあります。常に、被害者は加害者につけこまれやすいのです」

やりがい搾取や性的な搾取が行われ、ハラスメントが生じやすい構造が、そこにはある。

ハラスメントを見過ごす、なかったことにするという美大の体質に対して、町山さんが強く懸念するのは、そこで美術教育を受けて、プロの作家として美術業界へと羽ばたく若い学生たちへの影響だ。

「ハラスメントが当たり前にあり、それを切り抜けるためには忍従するしかないという感覚が学生の間で育ってしまっているのを見てきました。不必要な従順さが身についてしまい、どうしてもハラスメントから逃げたかったら、作家を廃業するか、海外に行くか、という選択肢になってしまいます。美術業界の構造的に、それしか選択肢がないという苦しさがあります」

町山さんが取材を受けてくれた理由は、そうした問題を可視化する必要性を感じたからだという。

著名な賞の審査員や大賞受賞者は7割が男性

ハラスメントが起こりやすいが、自浄作用が働きづらい美術業界の構造が、取材の過程で徐々に明らかとなっていった。

ここで紹介しておきたい調査がある。先述した「表現の現場調査団」による『ジェンダーバランス白書2022』で公表されたもので、2021～2022年にかけて、美術業界で著名な賞やコンペティションの審査員や大賞受賞者、および美術評論の執筆者のジェンダーバランスを調べたものだ。

まず、審査員だが、10団体の審査員のうち、男性は71・2%を占めていた。13団体の大賞受賞者も同様で、75・9%が男性だった。また、美術専門雑誌「美術手帖」における評論執筆者を調査したところ、77%が男性だった（2011～2020年）。

調査団では、これらのジェンダーバランスの不均衡に強い懸念を示している。

「女性作家のノミネートは多い一方で大賞は取りづらい、そして審査員は常に男性が多数を占めている。このような不均等な状態が、学生を対象とした賞にまで垣間見られるという点には、危機感を覚える。このような現状を改善していくために美術分野の内外から目を向ける必要がある」

美術の賞やコンペティションで大賞を受賞すれば、美術館での展覧会や作品が購入されるチャンスに大きく影響する。『白書』では、美術館で個展を開催した作家や、作品が購入された作家のジェンダーバランスについても調査している。

２０１１～２０２０年に全国の15美術館で開催された個展を見てみると、男性３１８人、女性58人と大きな偏りがあった。青森県立美術館では、10年間で個展が開催されたのは男性作家のみだった。

美術館での個展は作家のキャリアにとって重要なだけでなく、個展開催を機に、作家の作品が購入されることが多い。実際、国立国際美術館など7館を調査したところ、作品が購入された作家のうち7割超が男性作家だった（２０１１～２０２０年）。作品数にいたっては、8割以上が男性のものだった。

調査団では、こうした受賞から作品購入にいたるまでのジェンダーバランスの不均衡は、経済的な格差が生まれやすいと指摘している。

なお、他の美術館に比べて、ジェンダーバランスの不均衡が小さかったのが、愛知県美術館だった。特に２０２０年は、作品購入された作家のうち女性が5割を超えるなど逆転現象があった。これは、２０１９年に愛知県美術館などを舞台に開催された「あいちトリエンナーレ」において、参加作家のジェンダーバランスが均等になるよう配慮された影響と考えられるという。

参考までに、2019年の「あいちトリエンナーレ」の報道資料（2019年4月時点）を紹介してみたい。

資料によると、美術館に勤める学芸員は女性が66％を占めるが、館長職をみると女性の割合はわずか16％と逆転する（「平成27年度社会教育調査」より）。また、国際美術展をみると、世界トップレベルの作家が集うヴェネチアビエンナーレやドクメンタ（ドイツで5年に1度開かれる国際美術展）におけるこれまでの参加作家は、いずれも男性が女性よりも圧倒的に多かったほか、国内でも同じ傾向があり、6割から7割が男性作家だった。

どのようなデータを見ても、美術業界における男性の持つ優位性は否定しがたい。男性の館長が運営する美術館、男性の審査員が選ぶ男性の大賞受賞者。高い評価を得る男性作家は、国際美術展の作家にも選ばれやすい。そうした評価に呼応する形で、男性作家の作品はギャラリーやオークションで高値がつけられる。

いくら若くて才能があり、努力も惜しまない若い女性作家がいたとしても、この美術業界の構造の中で、成功を収めることはとても難しいだろう。実際、取材する中で、「日本の美術界で若い女性が成功することは難しい」と海外に拠点を移した女性作家に何人も会った。

また、権力勾配をはらむ美術業界の構造は、若い作家、特に女性作家に対する搾取やハラスメントも生じやすい。ハラスメントが起きたとしても本来であれば、相談する窓口やサポートする法制度、支援団体などが充実していることが望ましいが、後で詳述するように、現状ではそうした支援体制は著しく貧弱だ。

そこにつけこむ形で、ハラスメントはエスカレートし、再生産されていく。

「加恵、女の子でしょ！」が投げかける問題

象徴的な作品がある。映像分野で活躍している作家、出光真子さんの代表的なビデオ作品のひとつ、「加恵、女の子でしょ！」だ。

１９９６年に制作されたこの作品は、美大の教授らしき男性が、若い学生たちの作品を次々と講評していくシーンから始まる。

「いいねえ、なかなかすばらしいじゃないか」「構造がしっかり摑《つか》めている」「君、卒業したら何をするの？　この仕事続けろよ、期待してるよ」

男性は男子学生に声をかけていくが、女子学生の作品にはまったく異なる言葉を吐く。

「女は女らしいものを描け。花だとか鳥だとか、優しく、愛らしく、セクシーなもの。自画像でもいいよ」「女にしか表現できないものがあるだろう、妊娠、出産、母性。そういう喜びは男にゃ、わからない」

また、評価の低い男子学生にはこうも言うのだ。

「知的構築ができていない。だから女みたいな作品になっちゃうんだよ」

今であればハラスメントと指摘されるような言葉が、次から次へと登場するが、当時はまだこれが当たり前だったのだろうと推察される。

場面が変わる。美大で講評されていた男子学生と女子学生が結婚し、互いに画家を目指して生活をスタートさせた。最初は部屋の壁面を等分に使って絵を描いていた2人だったが、やがてご飯の支度など家事の負担が女性だけに増えていく。負担が大きくなればなるほど、壁面では男性の絵のスペースが広くなり、女性の絵はどんどん狭くなる。最終的には、隅っこに追いやられてしまった。

女性の名前は加恵。加恵は作家活動を続けようともがくが、家事や育児に追われ、夫だけが画家として注目を集めるようになる。男性の画廊オーナーも男性の著名評論家も、加恵の作品を見ようとせず、「画家の妻」として扱う。育った家庭では「女の子らしく」しろと言われ、美大では「女性らしい表現」を求められ、作家としてよりも主婦や母親としての役割を負わされる加恵。

「女の子でしょ！」と言われ続けても、創作に向かおうとする彼女は、多くの女性作家が体験してきたことと重なる。

出光さんはこの作品を制作するにあたり、「高村光太郎と智恵子の関係を参考にしながら、私の体験、美術界で見聞きしたことやそこでの性差別などを重ねて」いった（出光真子著『ホワット・ア・うーまんめいど』岩波書店）。

また、美大で教えていた女性にも取材。男性学生だけが将来、作家になることを前提とした授業や教え方の姿勢に問題があることを聞いたという。

作品を制作した出光さんは、出光興産株式会社の創業者である出光佐三の娘として生まれた。「私の父は九州出身で男尊女卑の考えが背広を着たような人」（前掲書）で、出光さんは難しい話は「女、子どもには分からない」と聞かされて育った。大人になって作家となってからもその刷り込みは呪縛となった。

「創作にとりかかろうとすると、この一言が私の前に立ちはだかり、伝統的に女の役割とされていることとの方へ押し戻す。それに逆らって創り始め集中し、女の仕事を放りだしているのに気がつくと、罪悪感さえもってしまう。この体験を映像にしてみよう。」（前掲書）

「加恵、女の子でしょ！」が投げかける問題は、根深い。美大や美術業界で、女性たちは長い間、どのように扱われてきたのか。ハラスメントの取材で会った若い女性作家たちの話とそれは地続きになっており、今もなお続いている。

第6章

歴史から消えた女性芸術家

大学とマーケットの間で消える女性

２０２２年春、ある女性画家の一生をたどったドキュメンタリー映画が公開された。映画の邦題は「見えるもの、その先に　ヒルマ・アフ・クリントの世界」。１８６２年にスウェーデンで生まれたヒルマは、王立美術院で正規の美術教育を受け、当時の女性としては稀《け》有《う》なことに、職業作家として活躍していた。

美術史上で彼女は長らく忘れられた存在だったが、ヒルマは２０１８年に突然、世界から「発見」された。

美術史上、重要なメルクマールの一つとされる抽象画は、ヴァシリー・カンディンスキーによって１９１０年代に誕生したと言われている。ヒルマは、それを遡ること数年、スウェーデンにおいて独自の手法で抽象画を描いていたことがわかった。

その作品群が、２０１８年から２０１９年にかけてニューヨークのグッゲンハイム美術館で開催された回顧展で紹介されると、美術史を覆す可能性がある存在として、大きな注目を集めた。この回顧展は、グッゲンハイム美術館史上最多の来場者数60万人を記録したという。

映画では、ヒルマの人生や、なぜヒルマの抽象画が美術史に記されなかったのかを、学芸員や美術史家、美術評論家、ヒルマの遺族らへのインタビューによって、描き出していく。彼らの話によると、美術業界で圧倒的な権威であるニューヨーク近代美術館（ＭＯＭＡ）は、抽象画の誕生をカンディンスキー以後のものとして美術史を描いてきた。そのため、ヒルマのような女性の作品が、カンディンスキー「以前」に抽象画として存在することを認めがたいのだろうという批判があった。

男性美術家、ジョサイア・マケルヘニー氏は映画の中で、美術史の表舞台に女性は皆無だったと断言し、美術史が男性によって男性のためにつくられてきたことを示唆する。

また、イギリス・マンチェスターのキャッスルフィールドギャラリーの理事、セリ・ハンド氏も、美大には女子学生が大勢いるにもかかわらず、女性作家が美術の世界にいないのはなぜか、と問いかけ、大学とマーケットの間で「何かが起きている」と指摘する。

ヒルマの存在は、抽象画の歴史を書き替えることにとどまらず、美術業界が歴史的に女性をどのように位置付けてきたか、美術業界は誰によって誰のために構成されてきたのか、という難しい問題に対峙することを求めてくるのだ。

翻って日本。

これまで、ハラスメントが横行する美術業界をみてきた。その背景には、美術業界の特殊な構造や伝統があるのではないかと、あらためて私は考えている。大学の教員や著名な美術家、批評家、キュレーター、審査員は圧倒的に男性が多く、一方の美大生は女性が多い。著しくジェンダーバランスに欠け、権力勾配が大きい構造。あるいは、学生時代から続く、滅私奉公が求められる徒弟制度の伝統。あるいは、多くの作家がフリーランスであり、ハラスメントを受けた時の相談窓口などの制度やサポートの欠如。そうしたところに、ハラスメントは生じやすい。

いつからそれは始まり、どのようにつくられてきたのか。日本の美術の歴史について、触れる必要があるだろう。問題の源流を探っていきたい。

女子学生に門戸を閉ざした東京美術学校

日本が「美術」を文化や技術とともに西洋から輸入したのは、言うまでもなく明治時代になる。

それ以前、日本では伝統的に「嫁入り前の若い娘のお稽古事」として女性が日本画を学ぶことは許されてきた。そのため、日本画の分野では、上村松園のように比較的早い時期から女性の画家が活躍している。この伝統は戦後まで続いており、世界的な美術家である草間彌生さんが、当初は日本画を学ぶことしか許されなかったというエピソードでもよくわかる。

しかし、新しく輸入された西洋美術は、誰もが容易に目指せるものではなかった。西洋美術は、先ほどのヒルマの例をみるように男性中心でつくられてきた。日本でも同じように、女性が「趣味」や「教養」の範囲を超えて、西洋美術の道を目指すことは、大変な困難をともなった。

日本で初めて、明治9（1876）年に創設された官立の美術学校である工部美術学校には、女子の入学が認められていた。教師はイタリアから招聘された「お雇い外国人」たちで、ヨーロッパの本格的な美術教育が導入されていた。

男女別学がまだ整備されていなかった頃であり、当初は6人の女子が入学、ギリシャ正教会のイコン画家となった山下りんもいた。しかし、工部美術学校は明治16（1883）年には閉校となり、女性が美術を学ぶ道は閉ざされてしまう（『東京芸術大学百年史 東京美術学校篇 第1巻』）。

工部美術学校の閉校から6年、現在の東京藝大の前身である東京美術学校が開校する。『東京芸術大学百年史 東京美術学校篇 第1巻』によると、第1回の入学者の募集広告には、「生徒五十名（今回ハ男生徒ニ限ル）」とあった。16歳以上25歳以下の健康な男性であれば誰でも受験でき、一期生には65人が合格した。その中にはのちに巨匠と呼ばれる横山大観の名もある。

東京美術学校は以後、日本の美術業界を担う人材を輩出していくが、第二次世界大戦後まで、女性に門戸を開くことはなかった。『東京美術学校の歴史』（磯崎康彦共著・日本文教出版）は次のように指摘している。

「美校は創立以来かくも長い間女子に対して門戸を閉ざして、結果的に女性美術家の進出を阻んできた。唯一の国立美術学校であった美校が女子入学を拒否したため、美術家を志す女子は私立の女子美術学校や画塾に入学する以外なかったのである。」

もしも、東京美術学校が女性の入学も許し、専門教育を行っていたら、現在の美術業界のジェンダーバランスに大きく影響していたことは想像に難くない（念の為、補足すると、大正時代の東京美術学校には男女共学化を求める動きがあった。東京美術学校側も女子学生を受け入れる決定をしたが、政府の方針から実現していない。経緯は、『東京美術学校の歴史』に詳しい）。

一方、当時、多くの女子学校は良妻賢母となる女性の育成を目標としていたが、女性が美術で社会的自立ができるよう創設されたのが、女子美術大学の前身である私立女子美術学校だった。女子美術学校は、開校時より西洋画科を設置。東京美術学校に遜色ない教育が行われていたようだ。『女子美術教育と日本の近代』（女子美術大学歴史資料室）によれば、女子美術学校ではヌードモデルのデッサンも行われていた。

女性学生たちは、学校の授業以外にも、休みの日は植物園や隅田川などに写生に出かけた。「画箱を肩に三脚椅子、三脚台を小脇に抱え、写生用洋傘（パラソル）、カンバスを引き抱えて長い袴に塵を蹴って」街を歩く姿は、人々の目を引いたらしい（『女子美術教育と日本の近代』）。

ただ、必ずしも美術の道は容易《たやす》いものではなかった。先にも述べた通り、「嫁入り前の若い娘のお稽古事」として日本画を学ぶことに女子学生たちの親は寛容だったが、洋画となると反対されることもあった。洋画は新しい文化であり、一般に理解は深まっていなかった。女子美術学校で日本画を目指していたが、洋画に憧れるようになった画家、足助恒《あすけつね》は、油絵の勉強をしたいというと「両親は勿論《もちろん》、親類縁者総出で反対し、女がペンキ屋になるのか、ときつく叱責されたものでした」と述懐している（『女子美術大学歴史資料室ニューズレター』第1号）。

当時、女性が洋画家を目指すことは非常に困難であった。後述するが、当時はまだ画廊が少なく、発表の場は美術団体に所属して得られるのが通常だった。しかし、女性を会員として認めない美術団体がほとんどだった。

たとえば、女性の洋画家の草分けである三岸節子も、女子美術学校で学び、首席で卒業している。しかし、昭和5（1930）年に夫で画家の三岸好太郎とともに独立美術協会に参加するが、女性は認められないという内規によって、正式な会員にはなれなかった（香川檀・小勝禮子共著『記憶の網目をたぐる――アートとジェンダーをめぐる対話』彩樹社）。

大正8（1919）年に私立女子美術学校に入学した深澤紅子は、こう述べている（『女子美術教育と日本の近代』）。

「女が描くといえば、よくよく道楽な、無益な勉強と思うくらいはまだいい方で、絵描きになるのは、不良になったも同然な錯覚をもって見る目も少なくなかった。」

「描く」男性、「描かれる」女性

日本が西洋美術を受容する過程で、官製の専門教育機関である東京美術学校が男子校となったことは先ほど述べた。教員は男性、学生も男性、卒業して活躍する美術家も男性。ではその結果、何が起きたのか。

一つが、男性は「描く側」、女性は「描かれる側」というジェンダーロールの固定化だった。西洋美術はもともと、人体の理想美を追求する表現として、裸体画や裸体像に重きを置いてきた。西洋美術の輸入とともにその思想も日本に入ってきたが、風紀の乱れを許さない明治政府や世論との間で、しばしば高尚か、猥褻《わいせつ》か、という論争が起きている。

「日本近代洋画の父」と言われた黒田清輝は、パリに留学していた時、裸体画「朝妝《ちょうしょう》」（1893年）を描いた。鏡の前に立つ全裸の女性を描いたもので、背を向けて立った女性の体の前面は、鏡にうつしだされている。女性はしどけない様子で長い髪をたばねており、女性のプライベートを覗《のぞ》き見しているかのように思えてくる。

黒田の画風は、パリでフランス人画家ラファエル・コランに師事した影響が大きい。東京・上野にある黒田記念館の公式サイトは、黒田がパリで学んだ美術について「コランから黒田へ伝えられた画風は、のちに述べるようにその後の日本の洋画界を一変させることになるのである」と指摘。次のように詳述している。

「最初に古典的な絵画の模写や彫刻の描写という基礎的な素描が課せれ、つぎに裸体の素描、三番目に人体、これもヌードの油彩画、そして最後に歴史画などのコンポジション（composition）

の研究という段階をふまえて教育されていたのだった。これは、当時の美術理念、美学にもとづき、システムとして確立されたアカデミズムの絵画教育の方法であり、基礎としての素描（dessin）から完成された絵画（tableau）までは、一貫して指導されたのだった。」

さらに「朝妝」については、こう説明する。

「留学の最後の年になった１８９３（明治26）年に、黒田は等身大の裸体画の制作をはじめた。それが、惜しくも先の大戦で焼失してしまった『朝妝』である。この作品は、黒田自身『卒業試験の様な心持にて』（父宛書簡、同年4月29日附）描きはじめたもので、同時に日本に持ち帰って、日本人の裸体画に対する偏見を打破しようとする意図もあったとされている。」

しかし、この作品は、明治28（１８９５）年、京都で開催された第４回内国勧業博覧会で一般公開されると、新聞紙上で風俗を乱すものと非難された。黒田はこの時、僚友に宛てて自らの決意を述べている（同公式サイト）。

「どう考へても裸体画を春画と見做す理屈が何処に有る　世界普通のエステチックは無論日本の美術の将来に取つても裸体画の悪いと云事は決してない悪いどころか必要なのだ大に奨励す可きだ（中略）今多数のお先真暗連が何とぬかそうと構つた事は無い道理上オレが勝だよ兎も角オレはあの画と進退を共にする覚悟だ。」

裸体画の論争は、その後も続いた。明治30（１８９７）年、第2回白馬会展に出品された三部作「智・感・情」でも、３人の裸婦が描かれ、また論争となった。「美術手帖ウェブ版」の

「ART WIKI　裸体画論争」では、この展示のことが説明されている。

「とりわけ後者の展示に関しては、黒田がフランスから持ち帰ったラファエル・コランの作品などとともに警察が介入し画面の一部を布で覆うという『腰巻き事件』が発生した。このことに対しては、当時より石井柏亭や与謝野鉄幹などより強い憤りの声が上がり、日本における芸術の無理解が嘆かれることとなった。それもそのはずで、古代ギリシア以降、西洋に続く美の理想像としての裸体（ヌード）の伝統を日本に定着させることは、日本で『美術』というプログラムを駆動させようとする黒田らにとっては避けて通れないプロセスであったからだ。」

「朝妝」は焼失してしまったが、「智・感・情」は今も、黒田記念館に所蔵されている。

明治29（1896）年、東京美術学校に新たに西洋画科が開設されると、黒田は指導者となった。黒田のカリキュラムは当然のことながら、自らがパリで学んできた手法がベースとなった。

『東京美術学校の歴史』によると、第1学年は石膏の写生、第2学年は人物の裸体の写生に重点が置かれた。この時、ヨーロッパの美術アカデミーの重要な画題のひとつだった「歴史画」が重視されていないことは興味深い。

『石膏デッサンの100年　石膏像から学ぶ美術教育史』（荒木慎也著・ART DIVER）では、先行研究を紹介している。

「先行研究では、1896年に設立された東京美術学校西洋画科において、指導内容から歴史画が排除されたことが指摘されてきた。金子一夫は、西洋美術の重要な画題である歴史画が、西洋画科教授の黒田清輝によって排除された理由を分析し、黒田の画家・教育者としての資質に加え、日本にはそもそも歴史画の伝統が弱く、公共の場に飾られる芸術よりも個人が密室で楽しむための個人芸術として描かれる傾向が強かったため、日本では定着しないと考えられたことが原因であると論じる。」

日本でどのように西洋画がローカライズされたか、その後の展開を考える上でこの指摘は重要だろう。

東京美術学校の西洋画科で、裸体モデルの写生をカリキュラムに組み込んだ結果、当時のエリート画学生たちに何が起きたのか。『女性像が映す日本――合わせ鏡の中の自画像』（児島薫著・ブリュッケ）では、こう書いている。

「東京美術学校が男子校であったことによって、今度は日本人女性モデルを囲む日本人男性画家たちの連帯が醸成された。各地から上京した学生たちにとって、モデル女性の身体は、都会の近代社会に溶け込む手段として機能することになった。これについて北澤憲昭は、『性的欲望を抑圧することによって、『美術』という精神的秩序を身につけさせるスパルタ教育であった』と分析している。モデルの身体を性の対象から切り離して『美術』として捉えうることが、自身を美術家という知的な人間として差別化する指標だったのである。」

つまり、女性の裸を性的なものとしてとらえるのではなく、高尚な芸術としてとらえることによって、画家としての自分を高めていくことにつながった。その意識は男子学生の間で共有されていった。これは、裸体画や裸婦像が「高尚な芸術」として不動の地位を得ていることと無縁ではない。

こうして黒田によって牽引された西洋画は、「芸術」として認められるようになり、日本の美術教育にも定着する。明治期から昭和初期にかけて、女性の裸体を描いた作品が男性たちがつくりあげた画壇によって評価され、「傑作」が生まれるようになる。

美術史家、若桑みどりは、こうした流れについて、当時の政治的な背景もあったことを推察している（「帝国主義とヌード」『イメージ&ジェンダー』vol.9）。

大正期から昭和初期にかけて、社会主義や共産主義運動から生まれたプロレタリア美術が隆盛するが、政治的に弾圧されて画家たちは検挙された。

「一方、ヌードを描いた黒田は大正11年に帝国美術院長となって美術官僚の頂上を極め、昭和10年には裸婦の画家安井曽太郎が帝国美術院会員となりました。」

それから太平洋戦争へと突入。若桑さんは、「裸婦専門の画家が国家に重用され、社会の現実を描くプロレタリアート画家が検挙されている状況は、戦時国家がヌード画家を国家にとって有益な存在だとみていたことを示しているのです」と指摘している。

「即ち、国家からみれば、画家が女性身体とエロティシズムに集中するということは、絵画から現実批判を抜き去るために有効であったということです。女性の身体は男性にとって共通の関心であって、そこで親近感を覚えた男性は精神的男性同盟を結成します。」

戦後まで、その潮流は連綿と続いた。

「女は一流の画家になれない」

一方の女性たちは、男性や政治的・社会的な主題を描くことなく、家族や静物画を描くことを求められた。「語られない者から語る者へ――近代女性画家のあゆみ」（草薙奈津子監修『女性画家の全貌。――疾走する美のアスリートたち』美術年鑑社）では、女性は遠出が難しいという理由で、風景画も少ないと指摘されている。男女で描くテーマが著しく異なっているのは、ジェンダーロールの押し付けに他ならない。

大学卒業後も男性たちは美術団体をつくり、自分達の評価軸で作品を評価していった。美術団体は、さまざまな流派、思想のものがあったが、メンバーは上から順に「会員」「会友」「一般出品者」などのヒエラルキーがあった。

通常、会員になるには出品して入選を重ねたり、入賞したりする必要がある。しかし、女性の場合は、入選を重ねても会員にまでなれず、「一般出品者」として埒外《らちがい》に置かれ続けた。戦後の1948年にようやく会員となる女性画家が現れたという（『記憶の網目をたぐる』）。

戦前の雑誌『美之国』には、思いあまった女性がこう投稿している。

「女流作家で会員になっている方は殆ど見かけない様ですが、それ程女の人は芸術家としての素質がないのでしょうか。私などが見るところでは何々会の会員であっても随分ヘタクソな絵を描いている人を余りにも多く見せつけられている様で、むしろウンザリしている程です。」（『記憶の網目をたぐる』）

理不尽な境遇に置かれていた女性美術家たちは、やがて女性だけの展覧会を開くようになっていく。１９２０年代から１９３０年代にかけて、女性の解放運動や参政権を求める運動が高まっていたことも背景にある。

女子美術学校や画塾などを卒業した女性の画家たちが、緩やかな横の連帯を持ち、多種多様な美術団体をつくっていった。しかし、「反動」もあった。

たとえば、三岸節子らが名を連ねた女性画家７人による「七彩会」（１９３６〜１９３７年）には、賛否両論寄せられたが、評論家で画商の福島繁太郎は厳しい目を向けた（前掲書）。

「女は一流の画家になれない。これは洋の東西を問わず、歴史的に考察すれば肯定せざるを得ない通説の様である。」

「七彩会はいづれ劣らぬ猛者揃いである。精進に努めて女は一流の画家になれないという通説を破ってもらいたい。」

また、それぞれの作品についても「女としてはしっかりとした技法を持ってる人」などと書き、三岸節子に対しても「色感の美しい人。静物は美しい」とだけ評して、それ以上の評価を避けている。

これらは、昭和12（1937）年に書かれた批評だが、第5章に紹介した、出光真子さんのビデオ作品「加恵、女の子でしょ！」（1996年）に登場する美大教授をはじめとする男性たちの言葉とあまりにそっくりで、驚いた。つまり、戦前から女性画家、女性美術家に対するジェンダーロールの押し付けは、なんら変わることなく、テクスチュアルハラスメントが日常的に行われていたということなのだろう。令和の世になっても、その意識が一部で続いていることは、これまで見てきたハラスメントからも垣間見える。

さて、男性からのさまざまな反応について、三岸節子は、七彩会のメンバー7人のうち3人が美術家の夫を亡くした未亡人だったことに触れ、こう話している（吉良智子著『戦争と女性画家──もうひとつの近代「美術」』ブリュッケ）。

「何かそういう、女性に対する興味からだったと思います」

男性たちからの好奇の目に晒《さら》されながらも、女性たちの美術団体は活発化していくが、時代は味方してくれなかった。日中戦争とそれに続く第二次世界大戦の勃発である。

戦争の末期には、東京美術学校など多くの学生たちが最前線に送られ、命を落とした。女性たちは戦争に送られることはなかったものの、女性たちの美術団体は、国民を鼓舞するような絵画を描くよう再編された。厳しい時代が続いた。

東京美術学校の共学化

戦争が終わると、GHQがやってきた。美術業界でその影響を最も受けたのは、東京美術学校かもしれない。GHQは教育の民主化を進めたが、その一つが男女共学制度だった。男女平等をうたう新憲法のもと、教育基本法によって女子も男子同様に教育の機会が得られるようになった。

かくて、長らく女子に門戸を閉ざしてきた東京美術学校は1946年度、共学化を果たした。その春の生徒募集には、多数の女子が応募してきた。『東京美術学校の歴史』によると、36人の女子学生が入学を許可された。油画科が15人、日本画科が8人、師範科が5人、彫刻科4人などで、まだまだ男子学生の方が多かったが、雑誌などにも取り上げられ、注目を集めた。

なお、学校側の受け入れ態勢は万全とは言えなかったようだ。更衣室を急遽《きゅうきょ》作るなどの対応が必要だった。また、男子学生たちと女子学生たちを共にした場合、問題が起きないか、懸念する声もあったそうだが、学校側が交際は関知せず、何かが起きたら即刻退学という方針を徹底させたせいか、特に問題はなかったという。

東京美術学校にはどのような女子が入学したのか。上流階級家庭や美術家の家庭出身が多かったが、女子美術学校の学生や卒業生も扉を叩いた。

東京美術学校が共学化した頃に在籍していたのが、東京藝大の学長を務めた日本を代表する画家、平山郁夫さんだ。妻の美知子さんは同級生で、1952年に日本画科を首席で卒業した画家だった。

当時を振り返った美知子さんのインタビューが残っている（「女性画家の全貌」）。教員として登場するのは、日本画なら奥村土牛や小林古径、安田靫彦《ゆきひこ》。油画なら梅原龍三郎や安井曾太郎。また、彫刻では平櫛田中《ひらくしでんちゅう》。いずれも錚々たる美術家だ。

「何を話されたかは覚えていませんが、このような偉い先生のそばにいられるなんて、とても光栄なことだな、と思いました。」

「自分の絵はたいしたことは無かったけれども、そのような学校にいられることだけが、私にとって誇りでしたし、一生のうちに、少しでもこういう場所にいられて良かった、と思っています。」

美知子さんの言葉からは、東京美術学校で学べた喜びが伝わってくる。

その後、美知子さんは画家として将来を嘱望されたものの、年下の同級生だった平山さんとの結婚を機に筆を折った。東京藝大ダイバーシティ推進室の公式サイトに掲載されているインタビュー「平山美知子さん『自分の道は自分で決める』」で、美知子さんは当時のことをこう語っている。

「明治生まれの母からは常に『男の人を立てなさい』と言われていました。『いくら平山さんの方が若いといっても、きちんと男の人を立てないと家の中がうまく行かないよ』と。」

当時、まだ色濃く残っていた戦前からの価値観が伝わるエピソードとして興味深い。

「平和」を担わされた裸婦像

戦争が終わって、美術を志す多くの女性たちは希望にあふれていたことだろう。しかし、政府や法制度が変わっても、人々の意識はそう簡単に変わらなかった。

象徴的なのが、彫刻である。戦争の爪痕を色濃く残す場所には鎮魂や平和への祈りを象徴するモニュメントが設置された。また、かつては英雄視された軍人の銅像が引きずり降ろされ、空いたスペースを埋めたのが、「平和」や「祈り」、「愛」といった名のつく銅像だった。

これらの多くは、女性の裸体像である。

たとえば、東京都千代田区隼町の三宅坂小公園内では、1951年に設置された「平和の群像」という銅像を見ることができる。高く立派な台座の上に、裸の女性たちが3人、何かを話すように寄り添っている。よくよく見れば、非現実的なポーズである。しかし、彼女たちはそれぞれ「愛情」「理性」「意欲」を表現しているという。

もともとこの台座の上には、寺内元帥の騎馬像が鎮座していた。しかし、戦時中の金属回収によって撤去され、その後裸婦像が設置された。

なお、「平和の群像」は電通が創立50周年を記念して、広告の功労者を顕彰するために建てたものだ。『電通創立五十周年記念誌』では、こう書かれている。

「永久性を持つもの、国民の願望たる平和を表象するもの（中略）等各角度から研究が重ねられた。」

制作者である彫刻家、菊池一雄氏は、「わが国では最初の裸婦の街頭進出になるので、アイデアを練るのに相当勇気が必要だった」と語っている（前掲書）。しかし、なぜ「平和」が裸婦像という表現につながるのか、記録を調べてもよくわからなかった。

戦後、この銅像を皮切りに全国で平和の裸婦像が広がっていったとされる。

研究者で彫刻家の小田原のどかさんは、「これはこの国特有の慣習であり、平和という言葉が付された女の裸像を公共の場に飾ることは、日本以外ではみられない現象である」と指摘している（「この国の彫刻のために」『彫刻の問題』トポフィル）。

亜細亜大学教授の高山陽子さんも、同様にこの問題を指摘している（「公共空間における女性の彫像に関する一考察」『亜細亜大学国際関係紀要　研究ノート』第28巻第2号）。

「日本の公共空間に設置された女性裸体像で、歴史性と政治性を示すものは極めて少ない。女性裸体像に与えられたタイトルは、『平和』や『希望』などの漠然としたものである。しかし、なぜ若い女性の裸体が平和を象徴するのかという説明は与えられていない。そして、なぜ常に若い女性がモデルであり、それが芸術であるのかという説明もほとんどない。ヨーロッパでは

（略）野外にも女性裸体像は見られるが、それらはギリシア神話の女神を表すもので、美術館などの屋内か庭園のような私的な空間に設置されている。」

こうした裸婦像については住民から批判を受けるなど、しばしば問題になってきた。最近では兵庫県宝塚市の宝塚大橋に設置されている「愛の手」という裸婦像が議論になった。

この裸婦像は大きな手の上に立つ裸の女性が、両手を空の方へ上げているというもので、1978年に設置された。男性の手の平の上で踊らされているようにも見えるため、設置時には「女性蔑視」だとして、市民団体が反対運動を行った。市長が市議会で「人類愛を表現した芸術作品」であると答弁するなど騒動になったが、結局は設置された。

ところが、宝塚大橋の改修にともなって一時的に撤去され、再び設置するかが問題となった。2022年5月には、ジェンダー平等の観点から再設置を見送る方針と『読売新聞』で報じられた。

なぜ裸婦像が「愛」や「平和」の象徴になるのか。合理的な説明を聞くことはできない。『神戸新聞』の調査によると、兵庫県神戸市三宮のフラワーロードでは、彫刻作品が35点あったが、うち女性裸体像は13点で4割近かったという（2021年5月2日付電子版）。これに対し、男性裸体像は1点だけだったというから、あまりに不均等だ。

『神戸新聞』の取材に対し神戸市の担当者は、「裸婦像には平和の象徴のような意味合いがあったと聞いています」と話したという。やはりふわっとした説明である。

もちろん、裸婦像という表現を否定するものではない。しかし、裸婦像をなんの理由づけもなく、多様な人たちが行き来する公共空間に設置しても良いとも思わない。そこには、作家や設置者がなぜ裸婦像でなければいけなかったのか、言葉を尽くして説明する必要がありはしないか。

大阪府内の公共彫刻についても、91体中、裸婦像は55体もあったと1995年9月26日付の『朝日新聞』では報じられている。記事によると、写真家、のひな利子さんらが調査したもので、男性像はキリッとした表情をしているが、裸婦像は「うっとり」「ボーッ」とした表情が多いといった違いもあったという。

裸婦像が性的ないたずらを受けることがあると、何度も耳にしたが、この調査でも裸婦像の乳房の先や陰部にタバコの吸い殻やガムが押し付けられたものもあった。

先に紹介した高山さんも、「公共空間の裸体像は男女を問わず破損されることが多い。特に女性裸体像は『セクハラ』を受ける可能性が高い」と指摘。「結局、設置後の女性裸体像は、どうすることもできない『厄介』な存在となってしまうのである」としている。

女は裸にならないと美術館に入れない?

ここからは持論だが、戦後に相次いで裸婦像が各地で設置されてきたのには、公共空間に作品を設置する仕事を請け負えるような著名な彫刻家は男性である割合が多かったこと、彼らにとって明治以降の西洋美術の伝統として、裸婦像をつくることが表現として当たり前だったことが影響しているのではないだろうか。

その結果、極めて無防備で政治性を帯びない裸婦像は、「平和」や「希望」といった漠然としたイメージを背負わされて、公共空間へ置かれることになったのではないだろうか。すると、この問題が美術業界におけるジェンダーバランスの欠如や、「見る男性」と「見られる女性」というジェンダー格差と、同根であることが見えてくるのだ。

海外でも状況は変わらない。

1989年、アメリカの匿名アーティスト集団「ゲリラ・ガールズ」が美術館のジェンダー不平等を告発した。新古典主義のドミニク・アングルの名画「グランド・オダリスク」の裸婦に、ゴリラのかぶりものを被せたポスターにこう書いた。

「Do women have to be naked to get into the Met. Museum?」

「女性がメトロポリタンミュージアムに入るには、裸にならなければならないの？」と疑問を投げかけ、「モダンアート部門では、女性の展示作家は4％以下だけど、裸婦の作品は76％」とも書いた。彼女たちのこの「告発」は、今も伝説のように語り継がれている。

1990年代後半、日本でも女性学芸員たちが相次いで、ジェンダーをテーマにした展覧会を企画したことがあった。作品をジェンダーの視点でとらえなおし、見る人たちの凝り固まったジェンダー観を揺さぶった。

しかし、これらの企画展は、著名な男性評論家や男性美術記者たちから強い批判を受けた。いわく、「ジェンダー論は欧米からの借り物の思想であって、日本には適合しない」「ジェンダーという思想が美術を窮屈にさせてしまう懸念がある」といったものだ。

これに対して、女性学芸員らは「これは切迫した問題である」とすぐさま反論した。その後も、何回か激しい議論が美術専門誌『ＬＲ』の誌面などで戦わされたが、男性たちとの議論は平行線をたどって終わった。

今、美術業界ではさまざまなハラスメントが明るみに出てきている。その多くが、美術業界のジェンダー格差に起因するものだといえそうだ。長い伝統と歴史の裏側で、美術業界はハラスメントの温床になってしまったことも否めない。

しかし、そうした美術業界を変えていこうという機運が高まっていることも確かだ。次の最終章では、そうした取り組みを紹介し、今後の展望を示したい。

第7章

変革を求めて

美術評論家連盟が動いた

2021年9月、美術業界に衝撃が走った。

美術業界の一角を担う美術評論家連盟（AICA JAPAN）の会長だった男性が、勤め先の大学で教えていた元学生の女性からセクハラを告発された直後、会長職を辞任したのだ。男性はAICA JAPANも退会した。

その後、男性の勤め先の大学は2022年2月、女性が学生だった当時、不適切な関係があったとして男性を懲戒解雇処分とした（女性は男性から10年にわたりハラスメントを受けていたとして男性を提訴し、2022年8月現在も係争中だ）。

美術評論家連盟とはどのような組織なのだろうか。国際美術評論家連盟の日本支部として1954年に創設された。公式サイトによると、戦後、日本の美術家が海外で開催される国際美術展に出展する際、選考などを国内で組織的に対応する必要があったことが背景と説明されている。歴代の会長も著名な美術評論家が務めてきた歴史と伝統を誇る組織だ。

そのトップに立つ、著名な美術評論家の男性がセクハラの告発をきっかけに辞任したことを受け、AICA JAPANは2021年10月1日付で声明を発表した。

「当連盟は報道されている以上の情報を持ち得ておりませんが、本件を大変遺憾《いかん》に思うとともに、本件に限らず、あらゆるハラスメントの被害を訴えられた方の人権が守られることを望みます。
当連盟は、人間関係における力の不均衡が世界的に是正されている現況を鑑《かんが》み、連盟および会員の活動の基盤となる美術評論家の倫理を改めて確認し、今後の方針について新たに検討を続けている最中でした。具体的には、ハラスメント防止のガイドラインの作成と、声明・共同意見の発表方法の見直しについて、それぞれ委員会を立ち上げて取り組んでいます。本件はまだ係争中ではありますが、元会長が不均衡な力関係を行使し得る立場にあった事実を重く受け止め、今後も美術の現場におけるハラスメント事案に対して注視していく所存です。」

そしてその声明通り、AICA JAPANは２０２２年７月、公式サイトで「ハラスメント防止のためのガイドライン」を公表した。このガイドラインは、AICA JAPANの会員同士、および関係者に適用されるものだが、「会員が外部の人や組織に対して行なった行為、外部の人や組織が会員に対して行なった行為についても適用されます」と外部にまで適用範囲を広げていることも特徴だ。

ハラスメントにあたるものとして、次のような事例が挙げられている。

・飲食の準備などを女性のみに担当させる

・恋愛や性経験についてしつこく尋ねる
・交際をしつこく迫ったりつきまとったりする
・展覧会や懇親会などに無理矢理誘う
・「男だから」「女らしい」などの言葉で、ジェンダーと表現や行為に結びつけて評価したり、指示したりする
・会話やメール、SNSで脅すような言葉を使う、執拗に攻撃する、問い詰めるなどする
・評論家やキュレーターの立場を利用して、性的関係を迫ったり、金銭的に不利な条件を承知させたりする

これらは、私が取材した中にもあてはまるものが少なくない。

具体的な防止策・対応策としては、相談員を4人配置し、受け付けた相談は複数の相談員で検討したのち、役員らに報告して対応するという。4人の連絡先は、公式サイトで公開されている。

これまで、美術業界におけるハラスメントのガイドラインはいくつかあったが、権威ある組織がハラスメント撲滅に動いたことは、特筆すべきことだろう。その効力がどこまであるか未知数ではあるが、相談窓口が増えることは歓迎したい。

やっと最近になり、ハラスメントをなくすための動きが美術業界から出てきている。いくつ

かの取り組みを紹介したい。

女性作家たちからの声で生まれたガイドライン

「他の作家も参加する共同制作の場でハラスメントされた」

3年ほど前から、アーティストの長倉友紀子さんのところに、女性作家たちから相談が寄せられるようになった。普段はベルリンに在住している長倉さんだが、フェミニズムに関わるイベントを日本国内で開いたことから、そうした相談を受けるようになったという。

「相談の内容はさまざまでしたが、共通するのは女性にだけケアの役割（配慮や世話など）を押し付けられるというものでした」

創作活動は孤独だと思われがちだが、実際の美術の現場は、複数の作家やスタッフによる共同作業も少なくない。そうした場で、女性作家だけが「女性らしい気遣い」や「女性らしい立ち居振る舞い」を求められていた。

当時、長倉さんは日本を出てから7年が経っていた。自分が国内で活動していた時に経験したようなハラスメントがいまだ行われていることに愕然とした。嫌な思いをしている女性作家たちのために、海外からでも何かできないか。そこで思いついたのが、ハラスメント防止のためのガイドラインだった。

長倉さんからガイドラインの作成を相談されたのが、研究者やキュレーター、アーティストらで構成する団体「Education of Gender and Sexuality for Arts Japan」（EGSA JAPAN）である。EGSA JAPANは2019年6月、芸術分野の環境改善を目指すために設立された。ジェンダー・セクシャリティ教育の普及や啓発活動のほか、美術大学において、ジェンダー・セクシャリティ教育やハラスメントの実態などについて調査研究をおこなっている。

ちょうどガイドラインの策定を進めていたところ、長倉さんからの相談を受け、2021年12月に完成したのが「芸術分野におけるハラスメント防止ガイドライン」の冊子だ。ガイドラインには、一般的なハラスメントだけでなく、EGSA JAPANに寄せられた事例と、主要な美術大学のガイドラインに掲載されていた事例など、美術・芸術界特有の事例も掲載されている。

例えば、次のような事例だ。

- 美術館来場者が他の来場者にしつこく話しかけ、美術の知識を披露する。
- 「どうせ脱ぐから」といって、美術モデルに安心できる着替え用の控室等を与えない。
- 地域交流型アートイベントで、女子学生という理由から、市民の私用に付き合う。
- 男性スタッフの話を深夜まで聞くなどのケア役割を強いられ、芸術活動の参加に支障が出た。

また、こうしたハラスメントに対して、被害者の立場や目撃したり相談されたりした立場からどうすればよいのか、それぞれ指針を示し、第三者機関の窓口情報を掲載している。EGSA JAPAN代表である東京女子大学准教授の竹田恵子さんも、自身がハラスメントを受けた経験から、ガイドラインの必要性を指摘する。

「ハラスメント被害に遭ってしまった人や、ハラスメントを目撃した人がどう動いたらいいのか、また、自分が加害してしまった場合にどうしたらいいのか。わからない人は多いです。でも、ガイドラインがあれば、被害に遭ったり、加害してしまう前に、実際にハラスメントが起きてしまったときにどうすればよいのか、ある程度の指針を持つことができるので、とても重要なことだと思います」

このガイドラインの特徴は、美術・芸術界の男女格差や、ハラスメントが起きてしまう構造についても解説していることだ。EGSA JAPANのメンバーで、ジェンダー研究を専門とする日本女子大学学術研究員、吉良智子さんは次のように話す。

「私は現在40代ですが、20、30代の頃はハラスメントに遭ったとしても、『それをいなしてこそ、女性研究者として一人前』という空気感がとても強かったです。でも、それを容認し続ければ、女性アーティストも女性研究者もハラスメントに耐えられる人だけが生き残るという構造自体は変えられません。私はハラスメントを許さないという空気感をみんなでつくり、その構造を変えていけたらと思ってガイドラインを作りました」

吉良さんは美術・芸術界の構造とハラスメントの関係をこう指摘する。

「高い評価を得るには、普遍的で素晴らしい作品をつくればいいと思われがちですが、普遍的で素晴らしいと判断する価値観は、歴史的に西洋の白人男性によってつくられたものです。それが、明治時代に日本に入ってきたときに、男性知識人の価値観へとそのままスライドしました。ですから、批評家は男性中心で、彼らがピックアップする作品は男性作家が有利になるという構造があり、それが美術・芸術界ではハラスメントに結びつきやすくなっています」

このガイドラインは、主要な美術大学などに配布された。美術教育に携わっている人たちや、今困っている人たちに届いて欲しいという思いが込められている。

「表現の現場調査団」がハラスメントを可視化

美術業界のハラスメントが可視化されつつあるが、その大きなきっかけとなったのが、本書でもその調査を紹介してきた「表現の現場調査団」の活動だ。美術分野の作家らで構成される団体で、ハラスメント問題に取り組んできた。

美術業界や映画、演劇などの分野におけるハラスメントについて調査した『「表現の現場」ハラスメント白書2021』を2021年3月に公表。続いて、美術、映画、演劇、文芸、建築、デザイン、写真などの分野におけるジェンダー不平等について調査した『ジェンダーバランス白書2022』を2022年8月に発表した。いずれもメディアで大きく取り上げられ、注目を集めている。

この調査によって、芸術分野のハラスメントが他の分野よりも深刻だということが明らかになった。オブザーバーとして調査に関わった日本労働弁護団常任理事の笠置裕亮弁護士は、こう指摘する。

「芸術分野におけるハラスメント被害の内容は、私が日頃、よく見ている民間企業でのハラスメントとは異なっていて、より深刻だと思いました。民間企業でのハラスメントは言葉によるものが比較的多いのですが、表現の現場では身体への暴力や、性的な被害といった身体的な被害が多いという特徴がありました」

たとえば、ハラスメント白書では、「セクハラを受けたことがある」と回答した人は1449人中1161人だったが、そのうち、「身体を触られた」という人は503人、「望まない性行為をされた」という人は129人もいた。

一般企業のハラスメントをよく知る笠置弁護士からすれば、「ちょっと考えられないぐらいの割合」という。

「その原因はいくつかあると思っていますが、最大の原因は、誰も何も守ってくれない状態があるからです。法律も、バックアップしてくれる窓口も少ないことが背景にあります。そこに加害者がつけいっているわけです。たとえば、雇用されている場合には、労働基準法、労働契約法などがありますので、そういったものに基づいて、労働者としていろいろな法的保護が受けられます。ほかにも、セクハラだったら、男女雇用機会均等法によって雇用主に配慮が義務づけられていますし、パワハラも労働施策総合推進法――パワハラ防止法と言われてますけれども――で2020年からパワハラ防止に向けた措置義務が明記されています」

しかし、美術関係者や作家の多くはフリーランスという立場で仕事をしている。ハラスメントから守ってくれる法律が、雇用の立場にある人に比べて「薄い」と言える。

「たとえば、労働時間の規定や最低賃金などに関する規制もまったくないので、その方の働く条件は、仕事を発注する側次第、つまり相手との力関係で決まってしまいます。制作に対して、コストをなかなかかけられないという中で、限られたパイをどう配分していこうかとなったときに、ハラスメントに耐えられるとか、あるいは、性的な要求にこたえられるとかで選別されてしまいます。本来は労働法的な保護が必要な方に対して行き届いていなくて、仕事を依頼する側、あるいは指導的な立場にある側が、非常に強い権力を持つという構造があるのだと思います」

ハラスメント撲滅には法整備が急務

笠置弁護士の指摘する相談窓口の少なさは、本書で取材したハラスメント被害者も訴えていた。誰にも相談できず、泣き寝入りする人が少なくなかった。

「たとえば民間企業だったら、社内にパワハラやセクハラの相談窓口があることが多いです。特に大企業の場合は、こうした窓口を設けていないと、現行法に照らして違法になります。しかし、大きな組織に所属しているわけでもないフリーランスの方々には、基本的にそのような窓口は存在しません」

窓口がない場合、自分で弁護士を探して相談することになる。「しかし、ハラスメントの証拠を揃え、弁護士費用を払って裁判を起こすとなると、ハードルは間違いなく高くなります」と笠置弁護士はいう。

「仮に損害賠償金はとれたとしても、相手側との関係性は当然壊れてしまいます。場合によっては現在の表現活動をやめる覚悟をしなければならないという理不尽な話になってしまいます。でも、多くの被害者の方はそこまでの事態を望んでいるわけではない」

たとえ、ハラスメントを法的に解決できたとしても、作家であればその後の創作活動に影響を及ぼすことは想像に難くない。

ハラスメント被害にあった作家をどうサポートしたらよいのだろうか。

「やはり、環境の調整が重要ですね。これは本来、労働組合の役割になりますので、表現の分野の方たちにも労働組合ができると非常に良いのでは、と思っています。それから、被害を受けてしまったときに、バックアップしてもらえる組織も、最近できつつあります」

とはいえ、声を上げた被害者が加害者から逆襲されたり、SNSでバッシングされるなど、二次被害が起きることもある。「大したことないのに騒ぎ立てて、揉め事を起こすな」と言われ、沈黙を強いられるケースもある。

「表現のプロフェッショナルとして、『先輩がこれだけ耐えてきたんだから、後輩もこれぐらい耐えないと良い作品はつくれない』という徒弟制度に似た連鎖があると聞きます。上の立場の人が、良い作品を求めるあまり、下に些細なミスすら許さないということもあるようです」

ハラスメントを受けるのが当たり前だった世代が、若い世代に当たり前のようにハラスメントを行う。ハラスメントの再生産が行われるのだ。

しかし、今はもうそういう時代は終わったと笠置弁護士は指摘する。

「昔であれば、それでも新しい人材が入ってきたんでしょうけれど、今はもう、そういう時代ではありません。長い目で見れば、業界全体の先細りにつながっていく側面があると思います」

労働という観点からみれば、フリーランスが多い美術業界は、ハラスメントの温床になりがちだ。どう対策して自分を守っていけばよいのだろうか。笠置弁護士に具体的なアドバイスを聞いてみた。

「まず、業務委託契約とされている方でも、実際には労働者のように、日常的に指示を受けて、裁量がないまま表現活動に携わっているケースが少なくないです。そうした違法事例をきちんと摘発していくことが大事です。人によっては、業務委託契約のほうが気軽に働けるという方もいるかもしれませんが、今回のようなコロナ禍で突然クビを切られれば、社会保険や雇用保険にも入っていないため失業保険の受給もできず、セーフティーネットの恩恵を受けられないという現実に直面せざるをえません」

美術業界にありがちなのが、「口約束」だけできちんと契約書を交わさない慣例だ。たとえば、制作現場に呼ばれた若手作家が先輩作家に有無を言わさずタダ働きさせられるケースもある。笠置弁護士によると、大抵のケースが、どのような場合に契約解除ができるのか、報酬はいくらなのか、いつ支払われるのかといった、業務委託の基本的な条件すら明確ではない。

こうした問題について、やっと最近になって国が対策に本腰を入れ始めた。文化庁は「文化芸術分野の適正な契約関係構築に向けた検討会議」で議論を重ね、2022年7月に「文化芸術分野の適正な契約関係構築に向けたガイドライン」をまとめた。

「この検討会議では、適正な契約関係が進まない理由として、『信頼関係からくる口頭契約の慣行』や『交渉・協議すらできない雰囲気』といった芸術分野特有のものが指摘されました。契約の多様性や、構造的な特性もあり、契約の書面化が進まないとされていますが、だからこそ、きちんとした契約ルールを整備する必要があると思っています。ハラスメントも、ルールがきちんと整備されていないような環境で起きてしまいます。悪循環を止めるためにも、法的な整備が急務です」

被害体験が継承されない

「ハラスメントは、ある種の権力勾配が前提になって起きます。美術業界の場合は、ある種の徒弟制や師弟関係が残っていますので、そうした中でハラスメントが発生します」

そう話すのは、芸術分野のハラスメント撲滅に取り組む馬奈木厳太郎弁護士だ。演劇や映画界におけるハラスメントをなくすため、制作現場で講習を行ったり、先ほど紹介したEGSA JAPANの「芸術分野におけるハラスメント防止ガイドライン」の監修も手がけるなど、幅広い活動を行っている。

そうした馬奈木弁護士のところには、美術業界で起きたハラスメントの被害者から相談が寄せられることがある。目立つのは、美大におけるアカデミック・ハラスメントだという。

「文化芸術は評価基準が誰でもわかるように客観化されているわけではありません。誰が評価したかという問題になってきます。評価者自体が権力化するという構造です」

美術業界の場合は、藝大や美大時代の師弟関係が、卒業後も作家としての評価に影響することが少なくない。そこが、一般大学と大きく異なるところだと馬奈木弁護士は指摘する。

「もちろん、一般大学の法学部や経済学部でアカハラがないとはいいませんが、それでも藝大や美大に特有の問題があります。それは、卒業後に自分の可能性が発揮できる市場の大きさが経済学部や法学部に比べて、圧倒的に小さいことです」

本書でも取材してきた通り、大学時代以前の予備校時代からの人間関係が、その後の大学生活に大きな影響を及ぼす。さらに大学でも教員や先輩らとの密な人間関係が、卒業後のキャリアを左右するのだ。

さらに、芸術分野の独自性も拍車をかけるという。

「大学生や大学を卒業したての20代の若い人たちは、そこまで社会経験があるわけではありません。一般大学の学生に比べて、持っている知識にも偏りがあります。1日10時間とか、引きこもってとにかく絵を描きまくる。それぐらい世俗から離れてひたむきに芸術に打ち込んできたこととの裏返しでもありますが、ハラスメントに対する知識や対応を知らない人が多いです」

ハラスメントに対する知識が共有されないのは、フリーランスが多い業界であることも、影響している。

「先人の被害や体験が集団的に継承されていません。そうしたツールや、継承の場が美術業界にないからです。たとえば、成功している女性アーティストはいます。大体は、自らの事務所を持っていたり、所属するギャラリーがあり、自分を守ってくれるわけです。でも、それはほんの一握りのケースで、多くの人たちがフリーランスであり、被害に遭っても、個別の事例に過ぎないとして終わってしまう。これまで、いくつかハラスメントの告発事例がありましたが、美術業界全体の問題ではなく、加害者の属人的問題とされてしまっています」

自分達の権利を守るネットワークを

いま、映画や演劇などの分野では、ＳＮＳでハラスメントを告発する被害者が少しずつ増えてきている。しかし、美術業界の場合は狭い人間関係のために泣き寝入りしたり、声を上げても黙殺されてしまうという。馬奈木弁護士に寄せられた相談でも、そうしたケースがあったという。

「美術業界が狭いので、被害者が声を上げるとすぐに誰だかわかってしまうということを恐れていました。もしも誰かにハラスメント被害を相談すれば、相談相手が加害者につながっている可能性もあります。結局、被害者が今後も美術業界で生きていこうとすれば、声を上げたくても上げられないわけです。美術業界自体も、ハラスメントに対してまだまだ反応が鈍い。絶対にハラスメントを許さないという空気感がありません。何か訴えれば、うるさい人と扱われてしまい、被害者にとってはキャリアを築く上での障害になりかねないのです」

ハラスメントは権力勾配のある関係性の中で生まれる。

「加害者は名前が知られていたり、影響力がある場合が多い。そうすると、初めから勝負にならないわけです。そこで声を上げて被害を訴えることは、美術業界で生きていくことを諦めるということになってしまいます」

ではどうしたらハラスメントと戦えるのだろうか。馬奈木弁護士は「ハラスメントの経験を共有し、自分達の権利を守る緩やかな団体」の必要性を説く。

「これは、個人的な努力でどうこうできるという問題ではありません。作家をはじめとする美術に関わる人たちが、そういったグループをつくって、自分達の置かれている状況を認識して、被害を防ぐ対策をまとめて発信して、社会的にこの問題を認知してもらう。そこに、研究者や弁護士も参加して、一緒になって美術業界を変えていく。そうした取り組みが必要だと思います」

馬奈木弁護士は、今がチャンスだという。映画や演劇において告発が相次いだが、社会的に問題とされることによって、現場も変わってきているのだ。馬奈木弁護士は、劇団やテレビ制作に関わる会社から依頼を受け、現場でのハラスメント講習会を開いている。

「今、隣接する業界ではハラスメント撲滅の機運が高まっています。美術業界でも、ネットワークを作って声を上げていくことが大切では、と思っています」

低賃金、長時間労働、ハラスメントが当たり前の業界

美術業界の労働問題やハラスメントの調査研究も進められている。

社会学者、共立女子大学教授の吉澤弥生さんは数年にわたり、アートNPOのメンバーとし

て仕事をしていた。そこで気になったのが、公的文化事業やアートプロジェクトに関わる人たちの労働環境だった。

「多くの人たちが、長時間労働、またそれにもかかわらず低賃金という状況にありました。彼ら彼女らには、この時代を生きる表現者としての使命感や『自ら選んだ道』という自負があり、『だから仕方ない』と思っているようでした」

吉澤さんはそこに「自己責任論だけでは回収されないやりがい搾取」があるのではないかと考え、2009年からインタビュー調査を始めた。3冊の報告書をまとめた段階で、延べ78組の若手芸術労働者に対し、どのような雇用形態か、労働時間や賃金はどれぐらいかなどを丹念に聞いていった。

調査を始めた当初は、「どうしてこんな愚痴みたいなことを聞くんですか?」と逆に問われた。彼ら彼女らは、自分達が置かれている労働環境を「当たり前」ととらえ、問題視していなかった。そうして調査を進める中、吉澤さんは気づいたことがあった。

「性暴力やパワハラなどの被害が、話の中に出てきていました。それによってうつ病になり、仕事を辞めざるをえなかったケースもありました。しかし、やはり狭い世界なので、声を上げることができない人がほとんどです。もしそこで揉めたら、もう一生、美術業界でやっていけないと考えてしまうから」

労働問題が明確になると同時に、ハラスメントという新たな問題に直面した。なぜそうしたハラスメントが起きてしまうのか。これまで繰り返しみてきたように、インタビューから浮かび上がったのは、美術業界の特殊な構造と体質に原因がある。

「現場では、責任者やディレクションする人たちが『良い表現のためにはどんな犠牲も厭わない』という昭和時代の体質を引きずっているケースが多いです。彼らは自分達が若い頃にハラスメントを受けても我慢してきたために、若い世代も我慢すべきだと考え、ハラスメントを生み出す構造が再生産されてしまうのです」

日本の美術業界は、社会から隔離されている。社会から隔離されて閉鎖的になれば、たとえブラックな環境でも見過ごされる。そこにハラスメントが生じる原因の一つがあると、吉澤さんは指摘する。

では、ハラスメントの再生産を止めて、ハラスメントが起きる構造を変えるためにはどうしたらよいのだろうか。

「自分がもしも美大卒業後に作家として生きようと思ったら、その先にこういう現実があるなんてまったく知りませんでした」

吉澤さんが若手の芸術関係者が置かれた労働環境やハラスメントの話をした時のことだ。講義の後、美大の学生たちはそういって驚いていた。

講義の中で、吉澤さんは具体的に調査した事例を挙げて説明した。

「大卒の20代女性で、今はアートマネジメントの仕事に従事。休日は月に1日か2日だけ。残業して夜まで働いても、手取りは14万円。社会保障は全部自腹」

学生はその厳しさにとても驚くと同時に、「こういう話を聞きたかった」と話してくれた。

吉澤さんが作家をはじめ美術に関わる人材を育てる美大で、学生たちに「こういう現実」を共有してもらおうとするのには理由がある。酷い労働環境やハラスメントが原因で、美術業界から去っていく若い人たちを見てきたからだ。彼らは社会から守られていない。

美術業界が抱える諸問題は、さかのぼって美術を専門とする大学にも原因はあると吉澤さんはみている。第5章で詳述したが、美術業界のジェンダーバランスは歪だ。全国の美大における女子学生の割合は平均で7割となっているが、対する教員では、男性教授の割合は8割にも及んだ。

「こうした美大におけるジェンダーバランスの不均等は、さまざまなハラスメントの原因になりがちです。優位にある男性は、かつていた同期の女性たちが学びの場や現場からなぜ消えてしまったのか、考える必要があります」

そのためには、「教育が重要」と吉澤さんは話す。

「市民社会にとってアートはこういう意味があって、だから存在意義があるんだという意識がないと、アートは自分が好きでやっている、趣味的なものととらえられてしまいます。異なる意見の人たちがお互い話し合い、尊重し合いながら社会をつくっていくというのが、成熟した市民社会だと思います。労働問題やハラスメントなどコンフリクトはあちこちにありますが、アーティストも社会の一員として、果たせる役割や責任があるはず。美大ではそういう社会と人権についての教育が今後、ますます必要になると思っています」

吉澤さんの指摘はとても重要だ。その社会を変えようとしたら、教育を変える必要がある。しかし、美術を専門的に学ぶ大学の多くで制作の技術は学べても、たとえば、不利な契約や劣悪な労働を強いられた時にどうすればよいのか、また、ギャラリーストーカーやハラスメントのような被害に遭ってしまったらどうしたらよいのか。十分な知識を学生が学べているとは言えない。それどころか、教育現場がハラスメントの温床になっている。加害者にならないためにはどうしたらよいのか、若い世代に教えることも重要だ。

まずは、美術教育の現場から見なおしていく必要があるだろう。

声を上げ、一歩を踏み出した若い世代

これから美術業界を担う若い世代は、これまでみてきたような現状をどう考えているのか。勇気を持って、声を上げ、未来を変えようと踏み出した人たちがいる。

２０２１年3月、多摩美術大学美術学部情報デザイン学科メディア芸術コースに所属する有志の学生53人が、研究室に宛てて要望書を提出した。

どのような内容だったのだろうか。

要望書は、2020年度の卒業制作展の一環として開かれた学生たちのトークイベントで提出されたという。「メディア芸術コースの今後に関する要望書」というタイトルで、「10年以内に、半数の教員を女性やセクシャルマイノリティのために開いてほしい」「ジェンダーの専門家から授業を受けられる機会を作ってほしい」など4点を求めていた。

学生がここまで明確に教員側に要望を伝えたのはなぜか。きっかけは、2020年9月、4年生の卒業制作の中間発表だった。中間発表で学生は教員から講評される。学生にとって、卒業制作の方向性を最終的に決定する重要な場であり、完成へのモチベーションを高める機会でもある。

当時、メディア芸術コースに在籍していた「たまちゃんズ」（女性作家の活動名）も、制作中の作品を発表した。たまちゃんズや何人かの学生は、生理など女性特有の現象やフェミニズムについてリサーチ、作品を制作していた。中には、男性教員の一人から「女性のことは、男性である僕にはわからない」と講評をしてもらえない学生もいた。たまちゃんズもそうした男性教員から驚くことを言われた。

「作品は、コンセプトと手法が合致してるかどうか、という点でも評価は可能だと思うのですが、男性だから評価できないと……」

中間発表の場には、指導教員以外にもメディア芸術コースの教員が全員、参加していた。全員が男性で、ほとんどが50代以上だ。

たまちゃんズが、作品の説明中「このコースにも男性の教授しかいないですしね」と応えたところ、ある男性教員は「たまたまだよ」と即答した。

「その時、もしかして教授と講師8人全員が男性だという構造を自覚していないのでは……と思いました」

さらに、男性教員らはたまちゃんズに追い討ちをかけた。たまちゃんズの作品は、ミントグリーンを基調としたものだったが、それが多摩美の卒業生で元アイドルの女性のテーマカラーに似ていると指摘してきた。ちょうどその前年、元アイドルの女性がお笑い芸人と結婚したことから、男性教員らはたまちゃんズに「(君も)お笑い芸人と結婚すればいいじゃん」と、作品とは無関係の言葉を投げかけた。

「最悪……最悪です」

たまちゃんズは、応答した。しかし、他の教員や学生も大勢いる場で、それ以上反論したり何か言えるような雰囲気ではなく、「世間話」としてスルーせざるを得なかった。

そのやりとりを見ていたのが当時の同級生で、現在はロンドンに在住する作家、増田麻耶さんと、横浜国立大学の大学院に通う堀井野の花さんだった。

増田さんは、「教員は講評で、自分のジェンダーに関係なく、色々な側面から批評的な視点で見るところだよね、と提示するのが役割だと思うのですが、中間発表という重要な時にそれを放棄したことに驚きました」と振り返る。

堀井さんは、教員が男性ばかりという問題だけでなく、「ジェンダーやフェミニズムと美術の関係をテーマにした授業がほとんどないので、教員たちにはそういうテーマに対して、評価する軸がなかったのではないでしょうか」と指摘する。

結局、たまちゃんズは、教員から「きちんと」講評されるような方向に卒業制作の作品を修正せざるを得なかった。

「教授の価値観に合う方に作品を合わせていたら、どんどん角がとれて、まんまるな作品ができてしまい、自分はこんなことがやりたかったのかな、と思って終わりました」

講評で芳しい評価が得られなければ、成績にも反映される。場合によっては、将来を決定付けることもある。学生にとって、講評はそれだけ重要なものなのだ。

それぞれモヤモヤした思いを抱えていた3人は、学内外からの注目度が高い卒業制作展で、トークイベントを開催することにした。

「すごく時間はかかるかもしれないけど変えていける」

3人は卒業制作展の実行委員会と連携し、ジェンダーやフェミニズムについて勉強会を重ねた。2021年2月には、全学科向けの公開勉強会を実施。3月にトークイベント「メディア芸術とジェンダー」を開催した。

トークイベントには、実行委員会から依頼を受けたメディア芸術コースの全教員のうち一部が参加してくれた。3人は賛同者を募り、要望書をまとめあげて提出した。要望書には、学生たちの生の声が多く寄せられていた。

「単純にまだまだ作家として表現を模索している途中の学生時代に、偏った性別、偏った年齢の方からしか指導をいただけないというのはとても勿体《もったい》無いことだな〜と感じております。」

「自分はセクシャルマイノリティです。我々はいわゆるマジョリティの人達から〝存在しないもの〟として見られる傾向が多くあります。現状メ芸（筆者注：メディア芸術コース）の先生方は男性のみなので、セクマイの人達の存在を知ってもらうためにも、また価値観を広くするためにも女性やセクマイの方に来ていただけると良いと思っております。」

「2年まで自分が体験した講評には男性教授しかいませんでした。『女性にしか言えない意見／女性ならではの視点』のような言葉には懐疑的で、個人の問題だと思うので男性教授の講評自体に不満があったわけではないものの、男性しかいないのは疑問でした。」

「ジェンダーの専門家による授業欲しいです。社会や文化において性別の捉え方が変化している現状をなんとなくでしかわかっていない気がする。無意識でも不適切な行動を取らないためにも。」

現代アートは社会や世界で起きているあらゆる問題に対峙して、作品をつくることが多い。若い学生の声からは、変化する現代における表現と真摯に向き合おうという姿勢が垣間見える。

この時、たまちゃんズをはじめ、要望書に賛同した学生たちはそうした未来のために、教員と問題を共有し、解決に向けた「共同作業」のスタートを切る、という意識が強かった。

ところが、思わぬ反応が返ってきたという。トークイベントや要望書に対して、一部の教員から強い批判のメールが届いた。いわく、「こうしたやり方は脅迫であり、賛同できない」「（寄せられた学生の声も）愉快なものではない」。トークイベントの動画を期間限定という約束でネットで公開していたが、それも取り下げろと要望された。

また、この問題を知った教授たちの仕事仲間である大物キュレーターからも、「あなたたちは、彼らを傷つけた」と言われた。

そうした批判を一身に受けた増田さん、堀井さん、たまちゃんズの3人はショックを受けた。学生にとって、大学は自分の居場所であり、卒業後もふるさとのようなものだ。その居場所から敵意を向けられたと感じた。

それでも、希望はあった。メディア芸術コースとしての回答は得られなかったが、2人の教員は、学生たちの要望書に対して、真摯な回答を寄せてくれた。

その後、NHKのニュース番組が2021年11月にこの問題について報じた。メディア芸術コースが要望書へ回答したのは、2022年2月。彼女たちが卒業してから1年が経とうという時だった。

回答では、遅れた理由として、コース内で話し合いの場を設けることや、意見をまとめることに時間がかかってしまったことが謝罪されていた。

そして、教員たちの一致した意見として、半数の教員を女性やセクシャルマイノリティに開くことに対しては、確約は難しいとしながらも「実際に現在の教員構成においてジェンダー構成と年齢構成の多様性が欠如していることは事実であり、この問題について配慮が充分でなかったことを反省」すると明記している。

また、2022年度からは、ジェンダー論に関するゲスト講義を4回行うとしており、今後も継続的に実施していくとした。

大学側から正式にこうした言葉を引き出せたのは、学生たちが勇気を出して声を上げたからだ。そして、こうした問題は、多摩美だけに限ったことではない。全国の美大で起きている、あるいは起こりうることだ。

彼女たちは活動する中、他の美大や芸大で同じ志を持つ学生たちと緩やかにつながり、問題意識を共有できたという。

「同じ考えをもっている人たちが、どこかにいるということが、原動力になりました。すごく時間がかかるかもしれないけれども、変えていけるかもしれないというのが、今の自分の希望になっています。自分が死ぬまで、終わらないかもしれませんが」

この増田さんの言葉は、この美術業界を変えていこうとする若い世代に届けたい。

あとがき

ここまで本書をお読みいただいた方へ、心から感謝申し上げたい。

ギャラリーストーカーや、美術業界の性暴力・ハラスメントについて書こうと思ったのは、私が在籍しているネットメディア「弁護士ドットコムニュース」で、表現に関わる分野のハラスメント問題の取材をしたことがきっかけだった。

2021年3月、本書でも度々登場する「表現の現場調査団」が記者会見し、そのハラスメントの実態調査の結果を発表した。それは、おぞましい内容だった。

女性作家たちは、画廊で見ず知らずの男性たちにしつこくデートに誘われ、「無料のキャバ嬢」として、男性たちのどうでもいい話に付き合わされていた。作家を守ってくれるはずの画廊では、オーナーからまで性的関係を求められる。画廊で作品を発表しただけで、作家として活動していただけで、なぜこんな嫌な思いをしなければならないのか。被害者の声からは、悲しさと悔しさがにじんでいた。

この会見で、調査団のメンバーである、アートユニット・キュンチョメのホンマエリさんが、こんなことを言っていた。

「表現の現場では、ハラスメントがたくさん起きていますし、隠され続けています。たとえば、表現の機会をもらうために、暴言や長時間労働に耐えなければいけない。作品のためだということで、性行為を強要されることもあります。そんなことはあってはいけない。許されてはいけないことです」

衝撃を受けた。私は大の美術ファンを自任してきた。10代の頃から美術館や画廊に足を運び、キラキラした美術の世界に惹かれてきた。しかし、その裏側で何が起きているのか、30年以上まったく知らなかった。同時に、この問題は許されないし、放置することはできないとも思った。書いて暗闇を暴くことが、これまで無知だった私が担うべき仕事だと。

そこから、あらゆるツテをたどり、取材を受けてくださる被害者の方を探した。最初は誰も取材を受けてくれないのではないかと心配したが、予想に反して、多くの方がご自身の被害について話してくださった。

被害に遭っただけでもつらいのに、それを思い出して他人に話すことは、被害者の方の大きな負担になることはわかっていた。実際、声を何度も詰まらせて涙ぐみながら話してくださる被害者の方もいた。弁護士ドットコムニュースに記事を掲載するため、原稿を事前に送ったところ、つらすぎて読めないから待ってほしいと言って、そのまま連絡が途絶えてしまった方もいた。無理もないことだと思う。

それでも、多くの被害者の方々は、「自分のような被害を繰り返してほしくない。この問題を社会に知ってもらい、再発防止につなげてほしい」と言ってくださった。

本書を書きながら、その重みを受け止めるだけの器になり得るのかと、何度も自問自答し、筆を止めて考え込んだ。取材して調べれば調べるほど、この問題は見えないところにまで深く広く、根を張っていた。その根は明治時代以後、現在にいたるまで、長年複雑にはりめぐらされたもので、全体像を把握することはとても困難に思えた。

しかし、被害者の方々の思いに衝き動かされて、ここまで書いてきた。まだ、美術業界の暗闇の一部を照らしただけに過ぎないかもしれないが、この問題を一人でも多くの方に知っていただき、若い作家たちが自由な表現の世界で活躍できるよう、力を貸していただければと思う。

本書の第6章でとりあげた美術家の小田原のどかさんは、多摩美術大学の元学生の活動を支えてきた方だ。執筆中、何度もご助言をいただき本当に助かった。小田原さんはこんなことも話していた。

「声を上げることは本当に大変です。しかし、その方達だけの問題として矢面に立たせるのではなく、声を受け止めみんなの問題にしていかなければなりません」

最後に、勇気をもって取材を受けてくださった被害者の方、彼女たちを支えている関係者の皆様、本書を著すきっかけとなった「表現の現場調査団」の皆様に敬意を表するとともに、あらためて感謝を申し上げたい。また、執筆中、迷い子になりがちな私に粘り強く道を示してくださった中央公論新社の中西恵子様、そして、本を書く機会を与え、孤独な仕事を見守ってくれた弁護士ドットコムニュース編集部のメンバーにも、心から感謝を捧げたいと思う。

弁護士ドットコムニュース編集部
猪谷千香

●セクシャルハラスメント

- 展覧会への選出と引き換えに性的な関係を求めること。
- 作品購入と引き換えに性的な関係を求めたり、自宅や連絡先など個人情報を教えるよう執拗に求めること。
- 恋人がいるのかなどプライベートなことをしつこく聞くこと。

【ハラスメント被害に遭ってしまったら】

- ギャラリーや家族、信頼できる身近な人に相談する。
- 大学の相談窓口に相談する。
- 行政など公的な機関の相談窓口に相談する。
- 弁護士や警察に相談する。

大学の相談窓口や弁護士などに相談する際には、時系列をまとめたり、自身の被害を裏づける資料なども用意しておくと、相談がスムーズになります。たとえば、メールやLINEなどのダイレクトメッセージの記録、会話の録音、評価などが記された書面、被害を受けた場所が飲食店やカラオケなどの場合はレシートなど、こうした資料は有力な証拠となる可能性があるものです。

自身がどうしたいかといったことを決めてからでないと相談できないといったことはありません。まずは一人で悩まずに、誰かに相談してみてください。

【主な第三者機関の紹介】

- 性犯罪・性暴力被害者のためのワンストップ支援センター一覧
  https://www.gender.go.jp/policy/no_violence/seibouryoku/consult.html
- Arts and Law　無料相談窓口
  https://www.arts-law.org/Consultation
- 法テラス
  https://www.houterasu.or.jp/index.html
- 日本労働弁護団　女性弁護士による働く女性のためのホットライン
  https://roudou-bengodan.org/sodan/sexual-harassment/
- フリーランス・トラブル110番
  https://freelance110.jp/

その２　ハラスメント対策

予備校や大学で学んだり、作家として活動する中、さまざまなハラスメント被害に遭ってしまうことがあります。しかし、どこまでがハラスメントであるのか、わからない人も少なくありません。誰にも言えずに悩んでしまったり、自分がハラスメントを受けていることに気づかないケースもあります。ハラスメントに遭ってしまったら、どうしたらよいのか。ハラスメントに遭わないためにはどうしたらよいのか。ここでは、典型的な事例を取り上げ、芸術分野のハラスメント問題に詳しい馬奈木厳太郎弁護士に解説してもらいます。

【ハラスメントとは？】

ハラスメントとは、様々な場面において自身の尊厳や人権が脅かされる行為を指し、それによってそれまでの生活環境が変容させられたり、精神が危険にさらされたりするものです。ハラスメントは、地位や権力関係などを背景に、その場の「権力勾配」によって生じるものですが、「権力勾配」は局面ごとに変動しうるので、固定的にみるのは適当ではありません。

また、ハラスメントは刑事罰の対象となったり、民法の不法行為とされる場合があります。

【美術業界におけるハラスメントの事例】

●アカデミックハラスメント

- 作品の講評の際に暴言を吐いたり、誹謗中傷すること。
- 教育上、あるいは学問上とは関係なく、たとえば意に沿わないといったことから、不当な評価を行うこと。
- 制作中に、美術モデルや学生の体調などに配慮しないこと。

●パワーハラスメント

- 展覧会の開催が決まっているのに、わざと決裁を遅らせるなどの嫌がらせをすること。
- アートイベントで実行不可能な量の仕事を押し付けること。
- 些細なミスに対して叱責し、冷遇すること。

うなど、その事案に合ったアドバイスをします。

LINEやメール、通話履歴といったものは、怖くて消したくなると思います。ただ、可能な限り残しておいてください。内容だけでなく、頻度も重要になりますので、できるだけそのまま残してください。LINEなどは消されてしまうこともあるので、日付などが分かるようにスクリーンショットをしておくとよいでしょう。

未成年の場合には、親に相談することもあるでしょう。仲間に相談することもあるでしょう。

ただ、時間が経つことで取り得る手段が減ってしまうこともあります。身近な人に相談したら、その人と一緒にでもいいですから警察か弁護士のところに来てください。

どんな方でも、ギャラリーストーカーの被害者になり得ます。加害者は、「目立つ方が悪い」などと被害者側に責任があるような物言いをします。ただ、それは加害者側の論理です。あなたは、自分に非があるなどと思ってしまう前に、警察や弁護士に相談してください。

予防策としては、不必要に距離を縮めない、毅然と断る、一人では対応しないといったことが考えられます。ただ、誰でも被害者になり得るというのは、完全な予防策はないことも意味します。何か変だと思ったら、すぐに第三者に相談するのがよいでしょう。

【主な第三者機関の紹介】

- ストーカー被害を未然に防ぐことを目的とした警察庁の情報発信ポータルサイト
  https://www.npa.go.jp/cafe-mizen/consultation.html
- Arts and Law　無料相談窓口
  https://www.arts-law.org/Consultation
- 法テラス
  https://www.houterasu.or.jp/index.html
- フリーランス・トラブル110番
  https://freelance110.jp/

で画廊から帰ろうとしない、などです。こうした行為は、ストーカーではありませんが、脅迫罪、威力業務妨害罪、不退去罪といった別の刑罰に当たり得ます。

このように、実際の場面では、「ストーカーかどうか」などと用語にとらわれる必要はありません。また、以上のことは刑事的な側面に着目していますが、犯罪でなくても賠償などの対象（民事的な側面）になることもあります。迷惑を受けているという一事をもって、後に述べるような適切な対処を検討していくことが重要です。

【ギャラリーストーカーの事例】

- 在廊の帰り道などで、待ち伏せされた。
- 接客しているだけなのに、「好きだ」「結婚したい」などと言われ、断ると在廊中を狙って会いにこられた。

――これらは、恋愛感情が絡んでいると思われるので、ストーカー規制法上の問題になります。

- 在廊中、長時間にわたって話しかけられ、他の接客ができなかった。
- 自宅の住所や個人的な連絡先を執拗に聞かれた。

――このあたりは、ストーカーにもなり得ますが、不退去罪や強要罪などの問題になります。

- プライベートでドライブや食事に誘われた。
- SNSで作品や作家の活動に関する話題以外のことについて、しつこくリプライをされたり、ダイレクトメッセージが何通も送られてきた。

――この辺は、創作活動とは直接関係ないことも多いですが、ひどいと強要罪や内容によっては侮辱罪、損害賠償の対象になることもあります。

【ギャラリーストーカー被害に遭ってしまったら】

まず、今まさに危険だと思ったら（「今から家に行く」と言われたなど）、すぐに警察に通報してください。

今すぐの危険ではないけれど、迷惑を受けていると思ったら、弁護士に相談してください。弁護士がどのような方法があるかアドバイスします。警察に一緒に行きましょう、相手に警告しましょう、損害賠償をしましょ

資料編
【弁護士からのアドバイス】

その1　ギャラリーストーカー対策

本書では、ギャラリーストーカーは、在廊している作家に対して迷惑行為をしたり、SNSでつきまとったりする人のことを指しています。実際に「ストーカー規制法」のストーカーにあたるかどうかはケース・バイ・ケースではありますが、知識を持つことは防止にもつながります。ストーカーとはどのような法的問題があるのか、また、どう対処すればよいのか、神尾尊礼弁護士に解説してもらいます。

【ストーカーとは？】

まず知っておいていただきたいのは、「ストーカー行為」というのは、刑罰が科される代表的な迷惑行為に過ぎないということです。つまり、「ストーカー」に当たらないものでも許されないものは許されない、ということです。

ストーカー規制法で対象とされているのは以下のような行為です（ストーカー規制法2条）。

Ⅰ　つきまとい等：①恋愛感情などが満たされなかったことに対する怨恨の感情を充足する目的で、②その人又は家族などに、③特定の行為（尾行、待ち伏せなど）をすること

Ⅱ　ストーカー行為：①同一の人に、②つきまとい等を、③繰り返し行うこと（一部の行為については少し条件が加わります）

したがって、繰り返し交際を迫られたり、待ち伏せされたりするのは「ストーカー行為」に当たります。

他方、「ストーカー」とはいえなくても、許されない行為もあります。

例えばいわゆるカスタマーハラスメントという、顧客などの立場を利用して理不尽な要求をすることがあります。大声でクレームを言う、謝るま

本書は、弁護士ドットコムニュースに掲載された
「ギャラリーストーカー取材企画」を再構成し、
大幅に書き下ろしを追加したものです。

装丁　波戸恵＋K. N.
写真　ゲッティイメージズ

猪谷千香（いがや・ちか）

東京生まれ、東京育ち。明治大学大学院博士前期課程考古学専修修了。産経新聞文化部記者などを経た後、ドワンゴでニコニコ動画のニュースを担当。2013年からハフポスト日本版でレポーターとして、さまざまな社会問題を取材。2017年から弁護士ドットコムニュース編集部で記事を執筆。著書に『日々、着物に割烹着』『つながる図書館』『町の未来をこの手でつくる 紫波町オガールプロジェクト』など。

ギャラリーストーカー
——美術業界《びじゅつぎょうかい》を蝕《むしば》む女性差別《じょせいさべつ》と性被害《せいひがい》

2023年1月10日　初版発行

著者　猪谷千香《いがやちか》

発行者　安部順一

発行所　中央公論新社
〒100-8152　東京都千代田区大手町1-7-1
電話　販売 03-5299-1730　編集 03-5299-1740
URL　https://www.chuko.co.jp/

DTP　今井明子
印刷　大日本印刷
製本　小泉製本

Published by CHUOKORON-SHINSHA, INC.
Printed in Japan　ISBN978-4-12-005616-1　C0036